COLLECTION DU GOÉLAND

Dans ses voyages au long cours, le goéland, cet oiseau marin, survole les continents de l'Arctique à l'Antarctique. Il plane sur les côtes et les baies, les lacs et les rivières jusqu'à l'intérieur des terres.

La collection du Goéland, par la diversité de ses auteurs et de ses sujets, vous propose de le suivre dans ses merveilleux voyages au fil des mots.

la maison des vacances

paule daveluy

la maison des vacances

une année du tonnerre 1

Illustrations de Lise Thérien

COLLECTION DU GOÉLAND

LES ÉDITIONS FIDES, 235 EST BOUL. DORCHESTER, MONTRÉAL

ÉCOLE BEAU SÉJOUR
2681, RUE BAKER
ST-LAURENT, QUÉBEC
H4K 1K7

ISBN : 2-7621-0662-1

Dépôt légal : 3e trimestre 1977, Bibliothèque nationale du Québec.

Achevé d'imprimer le 1er avril 1981, à Montréal, aux Presses Elite Inc.,
pour le compte des Éditions Fides.

— On n'arrivera donc jamais ?

Ce prélude aux vacances, cet instant magique de l'entrée au village, je l'attends avec une avidité presque maladive, chaque été, depuis les cinq ans que l'oncle Henri et la tante Adèle m'amènent chez eux pour les vacances. Je cours vers la vie champêtre comme vers la promesse du bonheur. Ce mois de juin 1935, plus passionnément encore que d'habitude, car je viens d'avoir seize ans. L'été de mon premier amour commence, et je me sens de taille à conquérir n'importe qui, fût-ce le séduisant médecin installé à demeure, rue Principale, le printemps d'avant.

Le brandillement de la voiture, joint à la tension du voyage, ont eu raison de mon effervescence. Je me suis assoupie, la tête sur l'épaule de ma cousine Colette, les pieds recroquevillés entre deux malles.

Nous claquons de fatigue : les cinq cents milles de route qui relient Montréal au Témiscamingue sont, comme le dit oncle Henri, des poèmes en poussière. Elle esquive sans cesse la ligne droite pour se perdre en forêt, et contournent paresseusement le moindre mamelon. Nous comptons à l'aise, pouce sur la langue, pouce dans le poing, les chevaux blancs qui doivent nous mener à l'homme de notre vie. Je triche pour que les miens tiennent le coup jusqu'au cabinet du docteur.

— Quatre-vingt-dix-neuf, cent ! jubile Marilou. Le prochain mâle qui passe sera mon prince charmant.

Le sort tombe, à l'hilarité générale, sur un pauvre hère dépenaillé, ébahi des baisers que nous lui décochons au passage.

— Sainte misère ! ricane Colette. Tu les prends vieux.

— Pas plus que toi, dit Marilou, vexée. Le docteur Renaud a au moins trente ans. Ça ne t'empêchait pas de lui faire de la façon, à Noël.

Nous sommes six dans la *Packard* grise : oncle Henri, tante Adèle, mes trois cousines et moi. Nous papotons, discutons, chantons. Seule, Colette ne se montre pas au diapason et arbore un air dolent inhabituel. Qu'est-ce qu'elle a donc, ma petite sœur d'été ?

Oncle Henri roule prudemment. Mes sens émoussés de citadine reprennent possession de la nature déroulée, comme une toile de fond, des deux côtés de la voiture. La forêt nous happe par sa route sinueuse. Oubliant Colette et sa misanthropie, je m'enchante de la splendeur glauque des sous-bois refermés sur le mystère des chemins creux.

Oncle Henri connaît toutes les espèces forestières ; il les nomme au passage, pour augmenter notre bagage de connaissances et nous éclabousser de son érudition.

Nous longeons, des heures durant, la rivière des Outaouais, frontière naturelle entre le Québec et l'Ontario, perdue ici, retrouvée là, au gré des ponts d'acier jetés entre deux rives.

Enfin, après les cent milles désertiques de la réserve de Témagami, après la Tête-du-Lac et son pont triste sur le rapide des Quinze, viennent Guigues l'endormie et les derniers interminables milles avant le chef-lieu.

Oncle Henri arrête la voiture à mi-côte — le village reste dissimulé jusqu'à la fin derrière la colline.

— Vous allez voir, dit-il, taquin, tout aura brûlé en notre absence. Les feux de forêt ne respectent rien... A moins qu'un séisme ou un raz de marée... n'ait tout englouti !

— Quand même, papa, se récrie Henriette, désarmante de crédulité, un raz de marée ! Dans un lac !

— Le nôtre n'est pas un lac ordinaire, ma chère. Le Témiscamingue, avec ses soixante-quinze milles de long, c'est une mer intérieure, une mer... supérieure !

Il nous tient là une éternité, à mariner dans notre impatience. Et tante joue le jeu. Elle comprend, pour l'avoir éprouvée autrefois, notre joie de retrouver, après dix mois d'exil, le village, la maison, le panorama des vacances.

C'est, chaque fois, le même éblouissement. Sitôt la butte gravie, le bourg s'exhibe, bijou multicolore dans son écrin de montagnes. Les maisons se groupent à gauche de l'église, étagées en gradins pour ne rien perdre de l'immense lac encagé dans une baie parfaite. Le couvent des sœurs Grises, l'école normale, les greniers de la coopérative et le palais de justice forment l'arrière-garde, à deux pas de l'escarpement où s'ouvre une grotte natu-relle, si pareille à celle de Lourdes qu'on en a fait le pèlerinage régional.

Agrippée à la banquette, je regarde de tous mes yeux, je respire à pleins poumons.

— Ça sent les fraises !

Je tire Colette vers la fenêtre ouverte, pour qu'elle hume comme moi les bouffées de parfum.

— Non, non, proteste oncle Henri. C'est le trèfle.

— Les fraises !

— Le trèfle !

Je n'en démords pas. Lui non plus. Derrière nous, les champs, inépuisable richesse de cette région agricole, se déroulent à perte de vue, séparés avec symétrie par le chemin du roy. L'avoine dresse déjà ses courts cheveux blonds. A demi dissimulées dans les fossés d'irrigation, les fraises des champs piquent leur note gaillarde parmi la mousse.

— Pour l'amour, papa ! rouspètent mes cousines.

La voiture gravit enfin l'éminence et s'y immobilise. Je ne me contiens plus. J'exulte d'allégresse.

— Nous y sommes ! C'est Ville-Marie. Oh ! tante Adèle, que c'est beau !

Je voudrais prendre le décor dans mes bras, le serrer sur ma poitrine : les gestes physiques expriment mieux que les mots les débordements intimes, et j'ai seize ans, l'âge de l'exubérance débridée. Colette se met à rire, de sa joie à elle d'abord, de la mienne ensuite : nous partageons cette minute exquise comme nous partagerons toutes les autres, paresseuses et pleines, que celle-ci promet.

11

Quelque chose en moi d'intuitif m'avertit que cet été-ci ne sera pas comme les autres et que, de ma vie, je ne l'oublierai.

Oncle Henri, le pied sur l'accélérateur, pousse la voiture à fond.

— Vous allez voir, mes tigresses (il accentue à plaisir l'articulation de Québec, sa ville natale, et roule le *r* comme un rugissement). Nous entrerons en grand style dans une Ville-Marie charmée.

Nous descendons la rue des Sœurs en klaxonnant tout du long. Personne sur les trottoirs, personne aux fenêtres ; pourtant, dix minutes plus tard, tout le village sait que les demoiselles Vadeboncœur sont rentrées du couvent et que Rosanne Fontaine, la cousine de la ville, les accompagne.

Nous arrêtons à *Castel riant*, la maison de grand-maman Lajoie, pour signaler notre arrivée. Tante Estelle, tante Reine et leurs maris : oncle Alphonse et oncle Sylvio, s'y trouvent déjà. Il ne manque que tante Rose et oncle René, retenus à leur magasin général.

On m'embrasse, m'interroge sur Montréal, mes deux frères, maman (« cette pauvre Laurence, si courageuse ! »). Je rends les baisers, deux pour un, heureuse d'appartenir à une famille si chaude, si unie.

Dernier arrêt chez Narcisse Bérubé, pour récupérer la clef, les plantes de tante Adèle, le chat et le chien de Colette. Rien n'a brûlé, sauté, changé. La maison attend, retranchée derrière sa haie de saules.

— Eh ! créatures ! s'impatiente mon oncle. Terminus ! Tout le monde descend !

On se libère avec peine du monceau de bagages. Mon oncle ne voyage jamais sans prendre ses précautions contre les intempéries. Quand le coffre n'en peut plus d'avaler, le surplus se case tant bien que mal dans la voiture.

Comme chaque année, on doit nous rattraper, Colette et moi, par un pan de notre jupe, et ramener vers la maison les deux poulains lancés, bride abattue, vers la prairie d'en face, pour y cueillir la première fraise.

La douce maison que celle-là ! Tante la juge pourtant trop exiguë. Moi, je l'aime telle quelle, vivante comme une présence. Un perron à colonnes court le long de la façade, soutenant, dans sa trajectoire, le balcon supérieur. Ses boîtes à fleurs, remplies de capucines, ses gais auvents et jusqu'à la plaque de cuivre l'identifiant comme la propriété de Charles-Henri Vadeboncœur, arpenteur-géomètre, tout dit : « Entrez, entrez donc ! »

Peu de gens résistent à l'invite, peu, enfin, de ceux qui marchent encore jusque-là. Car la maison use ses jours heureux aux limites du village.

A gauche, en entrant, trône le baromètre. Mon oncle ne commence jamais sa journée sans l'ausculter. Les aiguilles sautent, nerveuses, folles, quand les doigts tricheurs frappent la vitre pour les refouler vers le beau temps.

La porte franchie, on se heurte à l'escalier d'en haut, réchauffé par un épais tapis de laine. Les boiseries sont blanches ; blanches aussi, et du plus heureux effet contre la tapisserie à bouquets, les deux bibliothèques formant arcade entre salon et boudoir. De ses doigts de fée, Tante a sculpté, avec du papier mâché, des natures mortes dans les tons vibrants qu'elle affectionne.

Je la revois, assise dans la bergère, calme, souriante, tirant, sans se presser, les fils d'une taie destinée à l'un des trois trousseaux. Ce boudoir, c'est le cœur de la maison. Mon oncle y a élu domicile, dans un fauteuil aux bras chromés, tiré contre l'appareil de radio, où il taquine, en même temps, les ondes courtes et le chat.

Après cette fraîcheur, le salon suffoque sous ses draperies de velours, ses meubles aux mohairs enveloppants et son piano droit, couvert de partitions entassées à la diable. Tout le monde y passe à tour de rôle. Oncle y joue la valse composée vingt ans plus tôt pour son Adèle ; Henriette travaille sérieusement ses polonaises ; Marilou, sous la coupe paternelle, reprend ses études et ses gammes, mais se darde sur les airs à la mode, dès que son mentor tourne les talons. Quand il lui faut s'en tenir au classique, elle joue le *Boléro* de Ravel. Elle ne s'en lasse pas et le rend vraiment très bien. Très fort, en tout cas.

Colette et moi détalons dès qu'elle en attaque la première mesure. Elle nous rend la politesse quand nous nous lançons à bras raccourcis dans nos morceaux à quatre mains.

Tante se bouche les oreilles, mais nous interrompt rarement. Quelle patience elle a ! Elle est tout ce qu'il faut qu'une tante soit pour assurer le succès des vacances : joviale, détendue, indulgente à notre besoin d'extérioriser notre bouillonnement intérieur.

J'ai, il est vrai, les qualités de la nièce qu'on invite volontiers : je suis docile, bien élevée, robuste, sage comme une image. Si je ne pianote, je suis perdue dans un bouquin dont je gruge le coin de chaque page ou à la cuisine, reniflant ou grignotant. Elle est si gaie, la cuisine, avec ses grandes armoires et son poêle sur lequel refroidissent tartes et gâteaux. Au fond s'ouvrent trois portes en enfilade : celle de la cave où vieillit le sirop de vinaigre, celle de la penderie et celle de la dépense. Des tablettes débordantes de provisions s'alignent derrière cette porte, car oncle Henri achète conserves et victuailles en grande quantité pour nourrir ses hommes, et on y déniche aisément de quoi se glisser sous la dent.

Oui, la douce maison que celle-là ! Pourtant, nous n'y venons que manger et dormir. Tout nous appelle au dehors. Notre fringale de grand air est telle que rien ne nous en rassasie. Le soir même de l'arrivée, nous insistons pour dormir sur le balcon, à l'étage.

— Pas de murs pour nous, dit Colette. Nous couchons à la belle étoile.

Elle descend les lits de camp du grenier. Oncle Henri prête deux sacs de couchage. Tante tire les rideaux de toile rayée, et nous partons à la conquête de la nuit sous le morceau de toit qui nous vole un bout de la Grande Ourse. On est bien. On parle en chuchotant.

— Dis-moi, Rosanne, fait Colette, quand nous arrêtons nos projets pour le lendemain, tu as un amoureux à Montréal ?

Je proteste, surprise que ses préoccupations rejoignent les miennes. (Je pense au docteur et me demande comment aborder le sujet.)

— Pas encore, donne-moi le temps.

— Alors, tu n'aimes personne ? Aucun camarade ? Ton cœur est libre ?

— Comme l'air. Mais pas pour longtemps.

— Que veux-tu dire ?

Il y a de l'inquiétude dans sa voix. Elle craint que je ne marche sur ses brisées.

— Je me comprends, dis-je, mystérieuse. Question pour question, Colette, pourquoi ta mère ne m'a-t-elle pas invitée, l'an dernier ? Qu'y avait-il de changé ?

Je tends la perche. A elle de s'engager dans la voie des confidences, d'avouer que le docteur Renaud et elle, en juillet et août... Peine perdue. Après un soupir, elle me tourne le dos.

Le silence s'établit entre nous, coupé, à l'aube, par le martèlement du troupeau que le père Baptiste mène au pâturage.

Le matin a une qualité de calme attente, une transparence dorée. Les choses, lentement, émergent de l'ombre, neuves, vraies, belles. Nos cœurs battent au rythme immense de celui du monde. Cette intensité de vibrance, c'est la vie en nous, impétueuse comme un torrent, c'est notre âme en quête d'une issue ou d'une voix.

L'angélus court au-dessus du village.

— On va à la messe ? questionne Colette.

Appuyée sur le coude, elle m'observe à travers les boucles noires retombées sur ses yeux, indécise de ses propres désirs, quêtant un non qui ne vient pas. Question d'habitude. Quand nous dormons dehors, nous assistons à la messe. La nature nous parle de Dieu, et, spontanément, nous allons vers Lui.

Nous nous hâtons dans le jour naissant, le long du lac que le soleil irise d'un égal miroitement, insoutenable au regard. Les maisons dorment encore. Les oiseaux chantent à perdre haleine.

Le long des fossés, l'air embaume le foin coupé. Nous laissons traîner nos mains au fil des haies, cueillant, sans malice, une branche de chèvrefeuille, nous haussant sur la pointe des pieds pour attraper au vol les rameaux des saules pleureurs, les samares des érables. La haie du notaire est, comme d'ordinaire, impeccablement taillée, mais deux volubilis s'y tapissent, exprès pour le mortifier et orner nos corsages.

15

Il fait doux prier dans la vieille église de Ville-Marie, sous la lance du saint Michel de plâtre. La nef sent le cierge et l'encaustique. Entre les répons de l'enfant de chœur, on entend rouler les boguets sur les travées de bois du pont couvert.

Oncle Alphonse chante la messe. Et grand-mère est là, dans son banc, absorbée par des patenôtres qu'elle ponctue, à tout moment, d'une toux chevrotante.

2

« Pourquoi tante Adèle ne m'a-t-elle pas invitée, l'an dernier ? »

Nous nous rendons tous les six chez tante Reine, le lendemain, pour y voir ma grand-mère ; pendant que nous roulons, je tourne et retourne cette question dans ma tête, sans oser formuler la réponse logique : elle en avait trop de trois filles en pleine crise sentimentale pour augmenter délibérément ses problèmes en se chargeant de moi.

« Chère tante, pensai-je, confuse, je la remercie mal de son dévouement si je lui tiens rigueur d'une seule abstention. Lui ai-je jamais dit à quel point ces deux mois chez elle me comblent de bonheur ? La vie me gâte si peu !... Tellement moins que Colette ! »

La comparaison s'impose d'elle-même. Chez les Vadeboncœur, l'aisance règne, alors que, chez nous, à Montréal, ma pauvre maman, restée veuve avec trois enfants, gagne péniblement une chiche existence de couturière à domicile. L'absence d'un père très cher, les privations quotidiennes dans un milieu attaché aux avantages matériels m'ont mûrie prématurément, tandis que Colette reste la benjamine choyée à laquelle on passe le moindre caprice. On la met pensionnaire à Ottawa, avec ses sœurs, pour sacrifier aux coutumes. Les religieuses de la Congrégation recrutent leurs élèves parmi le gratin de la bourgeoisie. Mes cousines y apprennent, sans trop d'enthousiasme, la musique, la peinture et les arts d'agrément.

Moi, je fréquente, à Montréal, l'école publique de mon quartier. A force d'économies, maman m'a offert une année d'externat dans un pensionnat de la métropole. Elle ne se sépare pas de moi sans peine, aux grandes vacances ; mais l'invitation espérée arrive, et je pars, le cœur tiraillé entre deux émotions : chagrin de la quitter, exaltation de m'envoler du nid.

Nous arrivons. De tout le trajet, Colette n'a pas soufflé mot. Je la regarde, à la dérobée, surprise de son mutisme. On m'a changé ma Colette. Elle que j'ai connue si claire, cache dans un repli de sa bouche un monde d'amertume. Finis, l'insouciance, les rires spontanés, la fougueuse tendresse qui la font me sauter au cou et danser, jusqu'à ce qu'étourdies, nous tombions à la renverse, empêtrées dans nos jupons. Le responsable de cette métamorphose, c'est, à n'en pas douter, le successeur du vieux docteur Lalancette, ce cousin d'oncle Sylvio que celui-ci, maire de la municipalité, a attiré à Ville-Marie et qu'il héberge chez lui, dans sa grande maison de la rue du Lac.

Le jeune médecin est entré dans le patelin, auréolé d'une réputation de don Juan, véritable défi aux demoiselles du faubourg qui se l'arrachent sans pudeur. Il symbolise si bien les héros des croisades qu'on croit entendre les trompettes triomphantes quand il roule sur les chemins dans sa *Ford* ancien modèle.

Grand-maman en parle, dans ses lettres. « Parmi toutes les belles du pays, le docteur a remarqué Colette. Elle est bien jeune, mais enfin ! Yves Renaud est un excellent parti, et... elle l'aime ! »

« C'est donc ça, me dis-je. Colette pouvait se passer de moi, en juin dernier, puisqu'elle avait un amoureux. Voilà pourquoi l'invitation n'est pas venue. »

Facile, toutefois, de deviner que les seize ans de Colette, nourris, comme les miens, de romans roses, se sont emballés au premier sourire du beau docteur.

Devinant ma déception, une autre de mes tantes (maman a sept sœurs) me reçut à son chalet sur l'île du Calumet.

Pendant ce temps, on a fait de la peine à Colette. Je scrute son profil, cherchant à me rassurer. Je souhaite que rien ne soit changé des étés d'antan. Je ne suis plus au diapason avec ma joie intacte.

Grand-maman nous attend au salon. Avant même d'évaluer les ravages du temps sur sa chère figure, mon regard parcourt la pièce ; il la fouille de fond en comble, soulève les draperies, traverse d'une glissade corridor et salle à manger, pour y chercher un visage, un seul, celui du docteur, car, dans les recoins tortueux de mon subconscient, je me le suis réservé, cet homme-là, dès son arrivée au village. L'impression reste nébuleuse, difficile à transposer, mais je suis certaine d'avoir pensé : « Tu as eu ta chance, Colette ; à moi, maintenant. »

Tout l'hiver, j'ai pavoisé mon jardin secret, m'emparant des potins le concernant pour les enfouir au chaud. Bien sûr, il lui fallait d'abord épuiser les possibilités de l'endroit : quand un médecin s'installe dans un village et qu'il n'amène avec lui ni femme, ni fiancée, un an lui suffit habituellement pour repérer la perle rare. S'il ne l'a pas fait dans ce laps de temps, c'est que l'étincelle n'a pas jailli.

— Moi, me suis-je dit, naïvement, je saurai le conquérir.

Au hasard du circuit, je croise la figure de Colette : la même quête la déçoit autant que moi. Intuitive, elle saisit mon manège et comprend que je suis une rivale en puissance et qu'il faudra désormais lutter contre moi pour reprendre le docteur.

Elle m'évalue en ennemie, mécontente des atouts de mon jeu. Je suis gentille, avec le corps qu'on a, à mon âge, souple, mince, gracieux, des cheveux bruns que je porte bouclés sur le cou, et qui sautent, dansent, moussent au moindre mouvement ; des yeux noisette, rieurs et tendres ; des dents régulières qui mordent avec enthousiasme aux fruits de la route. En somme, je lui ressemble.

Les langues vont bon train sans que je m'y intéresse trop, occupée que je suis de mes vibrations intérieures. Un nom, saisi au vol, capte mon attention.

— Le docteur va bien ? s'informe tante Adèle.

— Bien ? réplique tante Reine qui n'attend que ce signal pour enfourcher son dada. Ma chère, il se démène comme un diable dans l'eau bénite. On le réclame de partout : Guigues, Lorrainville, Fabre. Ce soir, il répond à son troisième appel.

Tante Reine se réjouit d'autant plus du succès de son jeune cousin qu'elle s'est désolée, au début, de la méfiance dont on l'entourait. Il a interrompu son internat pour s'installer à Ville-Marie ; à cause de cette lacune, on doute de sa compétence.

— Figurez-vous, susurrent les bonnes âmes, le petit docteur :

pas encore le nombril sec. Aucune expérience en chirurgie ou en obstétrique, et ça court la clientèle.

Et patati, et patata ! On lui fait grise mine aussi longtemps qu'on le peut ; mais il faut bien recourir à ses services pour les panaris, les rougeoles, les grossesses. Depuis, on ne tarit plus d'éloges à son endroit.

— Diagnostic magistral ! Guérisons miraculeuses !

C'est quelqu'un. Dans le village, il vient en second, immédiatement après Dieu le Père. Charitable, il soigne pauvres comme riches sans discrimination. Son dévouement ne connaît pas de bornes. Il accourt au premier signe, à toute heure du jour ou de la nuit, voyageant, s'il le faut, en chaloupe à travers la tempête pour atteindre les îles, ou en auto-neige par les chemins impraticables de février.

La conversation, devenue générale, se fige soudain sur les lèvres. Mon cœur cesse de battre. Le docteur entre. Il s'arrête sous le lustre pour sourire à grand-mère, serrer la main d'oncle Henri... Il n'en finit pas. Après des siècles, il s'avance vers moi. Les présentations s'effectuent.

— Rosanne, le docteur Renaud... Docteur, notre petite Rosanne.

Une bouffée chaude enflamme mes joues. Je sens son regard peser sur le rideau de mes paupières. Je voudrais crier : « Enfin, mon amour, vous voilà ! » Tout ce que je trouve est un « bonjour, docteur », sec comme un pruneau ratatiné.

Je reste sagement assise près de grand-mère, baignée dans son affection, appuyée à sa calme force. Je ne suis pas à mon avantage et j'en meurs à petit feu. Nous sommes partis trop vite pour que j'endosse la jolie robe réservée à la première rencontre. Je porte une jupe-culotte rouge à pois blancs, pas romantique pour deux sous, et mes cheveux décoiffés par le voyage cachent leur déconfiture sous un madras noué en mentonnière.

— Dieu me pardonne ! tu ressembles à tante Jemima, s'est exclamée tante Adèle, en m'apercevant. Tu sais, celle de la pâte à crêpe.

Jemima-Rosanne garde ses cils baissés sur la flamme de ses yeux, attendant qu'il parle pour oser le contempler. Miséricorde ! Tant de chimères pour si piètre pâture ! Il dit seulement :

20

— Ah !

Les vingt mille mots du dictionnaire se bousculent pour qu'il les préfère, et ce qu'il émet, sa conception des courtoisies sociales, c'est « Ah ! » J'essaie de l'excuser. Sans doute craint-il l'ambiguïté des mots, lui que traquent tant de filles à marier, tant de mères de filles à marier.

S'il ménage ses paroles, en revanche, mon grigou prodigue ses œillades. Tante Adèle le constate et m'en fait part au retour, avec quelque agressivité.

— Le docteur te mangeait des yeux !

— Vraiment, vous croyez ? dis-je, avec flegme, comme s'il passait tous les jours devant ma porte des beaux brummels de son calibre et que je n'aie qu'à lever le petit doigt pour en glaner une douzaine. Je n'ai pas remarqué.

Menteuse ! menteuse ! s'indigne mon honnête conscience.

Colette me fixe intensément.

— Comment le trouves-tu ?

— Oh ! fais-je, avec une moue comique, couci-couça, plutôt couci que couça.

Pour dissimuler mon émotion, j'ajoute, nonchalante :

— Je préfère Tarzan : pas plus de conversation, mais au moins des muscles.

Marilou et Henriette se gondolent. Colette sourit, rassérénée.

— Le docteur n'est pas loquace. Ça donne plus de prix à ce qu'il dit.

— Yves-bouche-cousue-au-catgut, conclut oncle Henri, innocent des conflits en puissance dans sa propre maison.

— Ne va pas t'amouracher de lui, Rosanne, prévient tante Adèle, prenant, comme il se doit, le parti de sa fille et la place de ma mère. Le docteur est léger, il courtise les très jeunes filles qu'il laisse ensuite tomber quand elles mordent à l'hameçon.

Je pense : « Pas moi, Tante. Moi, il ne m'abandonnera pas, vous verrez ! »

Le lendemain matin, rencontre fortuite, deuxième victoire pour Jemima-Rosanne. Fortuite ? Mettons que je donne un coup de pouce au destin. Je me tiens disponible au dehors, arpentant, seule, les trottoirs de bois dont chaque planche rend un son différent. Je reviens de l'épicerie, les bras chargés de provisions, nez au vent, chanson aux lèvres.

Une voiture s'arrête derrière moi. Je l'ai entendu approcher. Je sais que c'est lui. Double vue, antennes sensibles, appelez ça comme vous voudrez, mais je le sais, comme je sais qu'il a provoqué cette rencontre. Pourtant, je vais mon chemin, contente de mes longues jambes qu'il ne peut manquer d'admirer, retenant ma curiosité par la bride.

La voiture ronfle, roule deux tours et s'immobilise à ma hauteur.

— Mademoiselle Rosanne, dit-il, un reproche dans sa voix grave. On ne reconnaît pas ses amis ?

Mettant dans le spontané de ma surprise le métier d'une comédienne aguerrie, je me retourne.

— Docteur Renaud ? Je ne vous ai pas reconnu.

Toc ! mon gaillard, et re-toc ! bourreau des cœurs. Qui veut marivauder avec demoiselle Rosanne doit croire la citadelle bien défendue, même si, contre vous, elle est de gélatine, la citadelle, et les munitions, de chocolat fondant.

— Voyons, insiste-t-il, rappelez-vous, hier soir, chez votre grand-mère.

— J'y suis, dis-je, impassible, l'habit gris qui a fait « Ah ! », c'était vous.

Il rit, ses yeux noirs plantés dans les miens, heureux de croiser le fer avec si belliqueux adversaire. Ma jupe blanche et mon chandail marine travaillent à ma cause, moulant ici, s'évasant là, juste où il faut.

— Faites-moi plaisir, quête-t-il en entrouvrant la portière. Accompagnez-moi jusqu'au fort. Des médicaments à livrer chez un client.

— Vous avez besoin d'aide pour tenir le colis ?

Il rit encore. Il semble beaucoup s'amuser de ma résistance.

— Non, je veux me racheter à vos yeux. J'ai dû passer pour un parfait imbécile.

— Le « Ah ! » vous trotte sur la conscience ?

— Il m'étrangle, il me paralyse, il m'a empêché de dormir.

22

— Fallait vous prescrire des somnifères, à condition, bien sûr, de pouvoir déchiffrer vos ordonnances.

— Ne soyez pas méchante. J'ai eu tort. Je m'en excuse. La société me pétrifie.

— Dites plutôt qu'elle a le don de vous museler.

— Est-ce ma faute si je n'ai rien d'un beau parleur ?

— Vous en remontreriez à une armée de carpes, quatre par banc, et bien cordées. Au fond, peut-être tout est-il dans le ton ? Qu'y avait-il dans celui d'hier ?

— Vous êtes impitoyable !

— Et vous, imperméable !

— J'étais ravi de vous connaître. En guise de preuve, je vous invite à m'accompagner. Amende honorable acceptée ?

— Acceptée.

J'ai peine à garder mon sérieux. Une fossette se creuse dans ma joue. Le docte docteur, l'homme de glace s'humanise pour moi.

— Alors, montez, Rosanne.

— Non, docteur.

— Je ne vous mangerai pas, je vous le promets. Ou si peu.

— Je regrette — oh ! comme je suis sincère. Il faut refuser cette première invitation, rester indépendante, quand je grille d'envie d'aller seule avec lui, par les chemins embaumés de juin, continuer ce flirt si bien amorcé... Non, n'insistez pas, on s'inquiéterait à la maison.

— Alors, tant pis pour moi ! Une autre fois, peut-être.

— Une autre fois.

Il démarre à contrecœur. « Quand vous voudrez, mon chéri », chante ma petite voix intérieure.

Je pousse un soupir. Satisfaction et regret à portions égales. Et j'attends « l'autre fois », comme les enfants attendent Noël, les juifs, le messie..., inquiète seulement de la réaction de Colette. Comment acceptera-t-elle que je la supplante dans les préoccupations d'Yves ?

Je me souviens qu'autrefois, nous nous sommes partagé un galant, le grand Moïse Joly. Il est vrai qu'alors, ce n'était qu'un jeu.

Pour nous deux, tout au moins...

23

3

Quel homme superbe, le grand Moïse de nos quatorze ans ! Et nous le découvrons de si plaisante façon...

Un matin de juillet, Colette se précipite comme un bolide vers le tennis où je travaille mon revers avant la partie quotidienne. Sa jupe blanche court derrière elle, claquant de ses godets déployés. L'élan de la pente la jette contre moi, essoufflée, décoiffée, les yeux brillants de la nouvelle qu'elle m'apporte.

— Figure-toi, Rosanne. Papa achète un terrain sur le bord de l'eau !

— Modère tes transports, dis-je, me dégageant à grand-peine de son étreinte. De l'eau, tu en as là, tant que tu en veux.

Je montre du pouce l'immense lac, endormi dans le soleil.

— Il est chouette, mon Témiscamingue. Mais il a une faille ; il ne sert plus à rien depuis que le chemin de fer a tué la navigation.

Elle pousse un soupir.

— Dommage ! Je me rappelle le temps où les bateaux à vapeur mouillaient dans la baie. Tout le village était là, bigarré, joyeux. C'était magnifique. Mais maintenant...

Elle contemple l'étendue immobile dont aucune embarcation n'anime la surface.

— On ne peut même pas se baigner dedans, ce grand baquet inutile. Je vois d'ici la mimique du père Curé si ses ouailles se promenaient rue du Lac en maillots de bain. Conclusion : défendu. Un vrai supplice quand il fait chaud comme aujourd'hui. Allons, viens ; viens donc.

Elle m'entraîne au pas de course vers la maison.

— Papa nous amène pique-niquer là-bas. Nous aurons un chalet, une plage, une chaloupe. Oh ! Rosanne, le bel été qu'on va passer !

Colette a raison. Trois de mes oncles, après minutieuse étude de la campagne environnante, ont acquis un terrain sablonneux, à quelque distance du village. On s'y rend à travers champs, le long d'un chemin pierreux qui flâne d'une ferme à l'autre, tout doré de sable, clôturé de foin mûr. Tantôt, le petit chemin patient contourne un champ de trèfle ; tantôt, il s'esquinte le long d'un coteau où sept vaches grasses lèchent un carré de sel rose.

On franchit un petit pont, deux petits ponts, trois petits ponts, jetés à la va-vite sur des ruisseaux desséchés, et on débouche comme dans la Terre promise sur le domaine Joly, dont le lopin le plus pittoresque nous appartient.

Nous sommes au septième ciel, mes cousines et moi. Fini, le guindé du village. Ici, nous pourrons rester nature, porter des salopettes, courir vers cette fraîcheur et nous y jeter, tête première, pour une prise de possession mutuelle.

En somme, nous rattrapons notre grand baquet par sa plus jolie anse. Le lac s'y prélasse si large qu'on en a le souffle coupé. Ici, c'est le Québec ; à cinq milles en aval, l'Ontario. Par temps clair, on voit, le soir, pointer les lumières d'Haileybury ; par temps brumeux, les montagnes, à l'horizon, se confondent avec l'eau.

Tout ce sable, cette eau, cette forêt proche, c'est le décor où se joue notre jeunesse.

La plage, très vaste, se jonche de cadavres d'arbres, blanchis par les crues, leurs racines jaillies du fond même de l'Apocalypse.

— Penses-tu ! murmure Colette, recueillie devant le tableau, ses pieds nus enfouis jusqu'aux chevilles dans le sable de la grève. Un vrai désert ! Ce qu'on va explorer, nous deux !

Nous deux ! Elle n'imagine pas, la sincère petite cousine, qu'un plaisir soit complet, goûté sans moi. Elle partage tout avec sa Rosanne. Sans calcul, sans rien demander, en retour, que l'amitié, cette amitié qui, mise à l'épreuve, rendra un son si décevant.

Nous vivons ensemble l'aventure fabuleuse de l'adolescence : les élans fous, les émois, les faiblesses, la troublante dualité de l'égoïsme et de l'idéal qui façonnent, en même temps, nos âmes et nos visages. La même curiosité, mêlée d'horreur, nous a tenues rivées à la vitre du garage pour regarder naître, dans la grange attenante, un petit veau qui n'a pas vécu. Ensemble, nous avons volé au notaire et dégusté, à l'ombre de sa haie, quantité de délicieuses groseilles...

— Vrai, souffle Colette, la bouche pleine, si tous les péchés du monde goûtent si bon, le père Hébert a raison de se tracasser pour le salut du genre humain.

Nous voulons devenir quelqu'un en accomplissant quelque chose dans le monde. Cette soif d'héroïsme se traduit comme elle peut. Un matin, galvanisées par un prédicateur qui a su rendre urgent le devoir de la charité, nous allons, rue des Montre-en-zut, comme dit Colette, faire le ménage et l'aumône chez la femme la plus démunie du village, la veuve Dorais.

Je sens encore sur mes mains la tiédeur de l'eau grasse où se noyèrent en même temps qu'une nuée de mouches, mes ardeurs de néophyte ; je revois la pauvre idiote d'aînée, la Marie-Jeanne, berçant ses vingt ans inutiles au fond de la cuisine, en chantonnant deux notes, toujours les mêmes : un *do* et un *fa* très doux, et ma Colette, étincelante dans sa robe fleurie, se demandant avec un haut-le-cœur par quel bout prendre le bébé pleurnichard pour le plonger dans la cuvette ; et ce sourire de tante Adèle quand nous sommes rentrées, le soir, vannées, déconfites de l'indifférence de nos protégés, guéries pour un temps des gestes romanesques, ce sourire mi-attendri, mi-narquois qui souligne, aussi clairement que des mots :

— Dire qu'ici, elles n'aident même pas la bonne à essuyer la vaisselle !

J'aime Colette comme on aime une chère petite sœur. Etudie-t-on un sentiment aussi naturel, imposé par les circonstances ? On le ressent. A quatorze ans, on ne cherche pas au delà. Creuser les fonds pour vérifier si notre amitié s'étaie sur l'estime ou sur une reconnaissance de la personnalité de l'autre ? Allons donc ! Il fait trop beau pour nous arrêter aux considérations philosophiques. Et deux jeunes nymphes court vêtues se jettent dans le bleu des vagues. Insouciantes. Libres comme elles ne le seront jamais plus.

La première année, il faut défricher. Mon oncle réclame les

services du fils Joly, le cultivateur qui a consenti, pour nous plaire, à morceler son bien. Moïse habite, avec sa mère veuve, une maisonnette à lucarnes dont le revêtement grisâtre, malmené par les éléments, appelle par ses pores altérés une couche de peinture qu'il ne boira vraisemblablement jamais.

Moïse défriche tout l'été, beau comme une statue grecque dans son pantalon de coton et sa chemise au bleu fané. Il porte de longues bottes lacées haut sur ses jambes musclées ; ses épaules sont puissantes, et sa taille, forte et droite comme un arbre.

Nous n'avons d'yeux que pour lui et plaignons sincèrement les deux grandes, fréquentées par des garçons gentils, mais raplapla ! Des étudiants d'université, si tu veux, mais qui n'ont à la bouche que Joe Louis et voitures aérodynamiques. A nous deux, il faut un homme qui vienne, « bondissant sur les montagnes, sautant sur les collines, ses yeux comme des colombes au bord des ruisseaux, ses mains, des cylindres d'or, son aspect élégant comme le cèdre ». Moïse, c'est le bien-aimé du *Cantique des cantiques*, surgi, botté de cuir, au tournant du sentier, avec, dans ses cheveux, le vent de la plaine, dans ses habits, le parfum de la terre. Que demander d'autre ?

Bien que plus âgé que nous, il semble intimidé par les deux gamines qui le regardent travailler. Gauche et maladroit, il aide du geste, son cheval attelé aux troncs récalcitrants.

— Hue ! mon vieux, hue donc !

Nous commentons entre nous chaque effort, applaudissant à chaque succès, mais sans échange de parole. Plusieurs fois, il se tourne vers nous, prêt à parler, mais il n'en fait rien et se remet à l'essouchage.

— Envoye, tire, mon Jocrisse !

— Tiens, tiens, s'étonne Colette, pas banal pour un cheval. Il doit avoir de l'esprit, le Moïse... Et à lui, elle jette très vite :

— Il a un nom original, votre cheval. Jocrisse !

La glace est rompue. Il se tourne vers nous avec un sourire épanoui.

— Oh ! j'dirais pas, mamzelle. C'est l'nom d'un cavalier de ma mère. Mon père a trouvé ça drôle de l'baptiser comme ça. P'tite vengeance.

Sans reprendre vent, il propose, désireux de nous plaire, mais inquiet de notre réaction :

— Ça vous chante-t-y de le monter, pendant que j'travaille ?

Si ça nous chante ! Jamais, auparavant, nous n'avons même touché un cheval ; et nous pourrons régner sur celui-là, le conduire à la badine et, qui sait ? effleurer la main du beau garçon qui nous aidera à y grimper.

Le Jocrisse paraît démesuré, d'en bas. Colette, plus téméraire, s'approche. Le chevalier la hissera-t-il dans ses bras vigoureux ? Elle retient son souffle, mais le géant, respectueux, fait avancer la monture jusqu'à la plus proche souche qui sert de tremplin.

Nous nous le partageons tout l'été, sans rivalité comme sans jalousie. Jamais nous ne découvrons laquelle de nous deux il préfère et nous n'en faisons pas un drame. Nous ne voulons pas l'épouser, miséricorde ! et traire ses vaches, tuer ses mouches, planter ses choux. Nous savons qu'à quatorze ans, l'amour reste pour l'avenir, mais nous rêvons de l'émouvoir pour nous prouver à nous-mêmes que nous mûrissons. Nous émergeons du cocon de l'enfance, papillons brillants, avides de déplier leurs ailes, impatients d'essayer dans l'espace l'insolente souplesse de leurs corps.

Aucun des garçons du village ne nous a encore troublées. Moïse, il est à nous ! Rien qu'à nous deux ! Nous lui pardonnons son nom de prophète, son mutisme, ses manières frustes, parce que, pour lui, nous existons.

Nous lui devons, bientôt, l'enivrement des chevauchées au grand galop et la découverte émouvante du contact à la fois dur et doux d'une poitrine d'homme.

J'aime me souvenir de ce crépuscule de juillet, quand les portes de l'enfance se sont refermées sur nous au bruit sauvage des sabots d'un cheval.

Ce soir-là, nous couchons sous la tente pour la première fois de la saison. Colette et moi jubilons bruyamment.

— Allez chercher du lait à la ferme, ordonne tante Adèle, assommée de notre tapage.

Personne dans la petite maison triste. Sur le perron, deux chaises aux coussins fanés se tiennent mélancoliquement compagnie. Il flotte dans l'air une langueur amollissante. La lumière du

29

couchant baigne de tendresse les champs appesantis de récoltes. Tout somnole déjà. Un oiseau, juché sur l'écurie, appelle la nuit de son gosier de cristal. Les grenouilles se répondent dans la mare, et Colette propose :

— Allons saluer les canards.

Les canards se sont retirés dans leurs quartiers.

— Tant pis ! dis-je, philosophe, il nous reste l'étang.

A plat ventre dans le sable, le bras glissé jusqu'au coude dans l'eau fraîche, nous taquinons du doigt les têtards éperdus, riant de voir leurs queues de fil noir pousser la bille sombre de leurs corps.

Sa journée faite, Moïse rentre, tirant de la laisse son cheval à la croupe perlée de sueur.

— *Bonguienne !* s'exclame-t-il en nous apercevant, les p'tites demoiselles !

Un sourire éclaire sa figure. D'un air entendu, il ajoute :

— « Mes » p'tites demoiselles !

Il nous toise sans effronterie, avec un évident plaisir. Ce que l'eau de la mare nous a confié, dans sa transparence, les yeux de Moïse le confirment : nous sommes charmantes, moulées dans nos salopettes, Colette avec sa peau hâlée, ses yeux noirs, son sourire mutin, ses cheveux bouclés retenus d'un ruban rouge, et moi, toute pareille en plus timide, plus effacée, mais caractérisée par une fossette au menton dont j'ai vaguement honte.

— J'gage que vous feriez un p'tit temps de galop, risque Moïse en s'approchant pour faire boire l'animal.

— Vous avez une selle ? demande Colette.

Elle accepte d'emblée la proposition.

— Non, mais on peut s'en passer. Ça vous tente ?

— Beau dommage ! affirme Colette, empruntant une expression chère à son père. Tu viens, Rosanne ?

— Va d'abord, dis-je.

Et ho ! donc sur Jocrisse, aidée, cette fois, d'un piquet de clôture. Colette a fière mine sur son coursier. Elle crie d'en haut !

— Qu'est-ce qu'on fiche ? Passez-moi les guides et donnez une tape sur la fesse de ce fainéant-là.

Moïse ne bouge pas.

— Savez-vous conduire un cheval ?

— La belle affaire ! Je la monte depuis un mois, votre *picouille.*

— Pour défricher, oui, mais êtes-vous capable de tourner et de revenir ? Colette fait non de la tête.

— Bon ! attendez, je monte aussi, décide le chevalier, qui saute en croupe d'un rétablissement de jarret.

Ils s'en vont, au pas d'abord, puis au trot. Les jambes de Colette battent les flancs de la bête. Elle se blottit étroitement contre Moïse qui retient la laisse des deux côtés de sa taille.

Je pense : « Qu'est-ce que tante dirait, si elle les voyait ? »

Ils reviennent à fond de train, Colette rose et décoiffée, lui, plus cèdre du Liban que jamais. J'attends, prête à tourner les talons s'ils repartent sans se préoccuper de moi. Mais Moïse me tend le cylindre d'or de sa grande main.

— A mademoiselle Rosanne, maintenant.

Ho ! hisse ! Un claquement de langue, un *guédeppe !* retentissant, et Jocrisse enlève, entre ciel et terre, une petite fille muette, cramponnée des dix doigts aux crins roussâtres.

Il noue ses bras autour de moi et j'appuie mon dos frissonnant à la solidité chaude de son corps. Jocrisse martèle la terre battue de coups sourds répercutés dans chacune de mes vertèbres. J'entends, contre mon dos, les toc-toc, aussi réguliers que ceux des sabots, du cœur de Moïse. Emportée dans un remous de sensations violentes, délivrée de ma peur, vivante, vibrante, je pars d'un grand rire que le vent saisit dans ma gorge pour le taire.

Mes boucles dénouées flottent derrière moi ; elles lui balaient à tout moment la figure. Il les saisit à pleines mains.

— Vos cheveux sont doux, dit-il, et comme ils sentent bon !

Troublant et merveilleux apprentissage. Tous les soirs de l'inoubliable semaine, nous reprenons la leçon sans dévoiler aux parents nos prouesses hippiques. Quand la vérité éclate, mes aïeux ! les réprimandes que nous essuyons !

Oncle Henri n'y va pas avec le dos de la cuiller.

— Je vous défends de remonter sur ce quadrupède infernal ; défense aussi de retourner à la ferme et de revoir l'énergumène.

C'en est fini de l'heureux trio. Nous ne croisons plus notre chevalier qu'à la grand-messe du dimanche. Hélas ! dépouillé de son paysage, vêtu de bleu marine comme vous et moi, il perd ses proportions et son auréole.

Appuyée sur le coude, elle m'observait...

4

Deux ans ont passé, depuis. Deux ans... et le docteur Renaud. Pour Marilou et Henriette, l'été s'annonce sous les meilleurs augures, leurs cavaliers étant restés fidèles au Ville-Marie de leurs vacances et à leurs deux « blondes ». Tout irait donc pour le mieux s'il y avait deux V-8 noires et deux docteurs Renaud.

Nous sommes rentrées depuis quatre jours et pas plus avancées l'une que l'autre dans nos plans de conquête. Après la visite chez grand-mère et ma rencontre fortuite du lendemain, nous n'avons plus revu le véhicule ou le chauffeur. Je compte sur la messe du dimanche pour apercevoir mon héros : déception ! Tourne la tête à droite, tourne la tête à gauche, tire le cou à hue, tire à dia, pas plus d'Yves dans l'église que de poil dans ma main.

Les dimanches matin me plaisent particulièrement. Nous allons à la messe tous ensemble, en auto, et nous arrivons toujours en retard. Pourtant, en semaine, Colette et moi précédons souvent l'enfant de chœur. Le service dominical, c'est différent : il est d'obligation. Aussi faut-il nous tirer du lit par ce qui en dépasse : pied, oreille, cheveux.

Ce dimanche de juin, éclatant de soleil, ressemble à tous les autres dimanches de juin que j'ai connus. La famille, sur les dents, réquisitionne la salle de bains.

— C'est mon tour, lance Marilou de sa chambre.

— Eh ! j'ai ma barbe à finir, proteste oncle Henri, un menton blanc de mousse glissé dans l'entrebâillement.

Tante Adèle appelle d'en bas, où elle arrose ses plantes en s'impatientant :

— Vite, pressez-vous ! Le dernier quart sonne.

Heureusement, la salle de bains est spacieuse. Nous y logeons toutes à l'aise. Colette se débarbouille avec les mêmes manières que son chat ; Marilou se maquille devant la grande glace, m'y cédant un coin pour me peigner, et Henriette brosse ses belles dents saines avec des gestes méthodiques.

En bas, Tante se morfond.

— Ecoutez ! C'est le dernier coup. Eh ! Seigneur ! Encore en retard.

A l'église, bien sûr, il faut grimper au jubé. Oncle Henri jette un regard noir au bedeau, *carré* dans sa tribune, ses mains rivées au câble de chanvre. On se trace un chemin, tant bien que mal, à travers les complets bleu marine qui guettent le premier mot du sermon pour sortir sur le parvis.

Nous subissons stoïquement le long sermon. Les pères Oblats qui desservent Ville-Marie sont, en général, de bons prédicateurs. Le plus couru reste le père Hébert, missionnaire des dessertes indiennes, qui vous a une façon inusitée de brasser ses chrétiens. Il nous met le cœur en liesse et la conscience à l'étroit avec ses sorties à l'emporte-pièce. Médisants, avares, orgueilleux, ivrognes se font attraper à tour de rôle, dans une langue fruste qui rend plus vrais le péché et la sollicitude du pasteur.

C'est lui, justement, qui marche vers nous en lissant sa barbe grise, tourmentant de la main son front dégarni et brûlé de soleil, son gros nez spirituel en évidence au-dessus des lèvres charnues que la barbe fait paraître plus rouges que nature.

Le sermon fini, on respire mieux, mais on en discute, sitôt sorti, les uns blâmant, les autres approuvant.

— Seigneur ! protestent mes cousines. Il y va un peu fort ! Qu'est-ce qu'il a contre les *shorts ?* Tout le monde en porte, maintenant.

On y revient tout le temps du déjeuner. Oh ! ce déjeuner du dimanche ! Je m'en délecte chaque fois comme du dernier repas du condamné. Les fèves au lard de Marilou en forment le plat de résistance. Elle les accommode avec beaucoup d'art et autant de mélasse et cache au centre un gros oignon enrobé de moutarde sèche. Le samedi, le boulanger emporte la jarre de grès dans sa guimbarde bringuebalante, et, vlan ! dans le four, en même temps que la dernière cuite.

Le dimanche, messe entendue, on va quérir les fèves et deux miches de pain chaud à même l'odorante étuve. Pour le dessert, Henriette a confectionné, la veille, un gâteau aux épices qui a pris, en refroidissant sur la claie, sa garniture et la délimitation des portions qu'Oncle servira.

Ajoutez à cela du beurre frais, les fraises, framboises ou bleuets que nous cueillons, Colette et moi, en saison, et la bonne crème (Oncle prononce *creumme* que c'en est passe-doux rien que de l'entendre), et vous avez là le menu dominical des bourgeois du chef-lieu.

Après le repas, autre régal, mais artistique, celui-là ! La pièce du fond se drape dans sa dignité de salon de musique. Mon oncle donne le signal :

— Les petites filles ! A vos instruments !

Je ne comprends pas mes cousines. Il faut les prier, les supplier. Je désire m'intégrer à l'orchestre ; mais je n'ai rien appris d'autre qu'un peu de piano, et ce m'est une frustration, chaque fois, de rester bras ballants, à écouter, quand je voudrais glisser un archet sur des cordes.

— Aujourd'hui, on s'attaque à la *Sérénade des anges*, dit oncle Henri, en tirant les lutrins de l'armoire.

— Ah ! non, pas ça, papa ! peste Colette. *Traumerei* de Schumann, si tu veux, ou l'*Intermezzo* de Mascagni ; pas la sérénade. J'en ai soupé de la sérénade !

Oncle fait la sourde oreille et prépare la partition de son choix. Il sort avec des gestes tendres, sa clarinette de l'étui et module deux ou trois arpèges. Marilou boude dans son coin. Elle préférerait lire un roman, au fond du hamac. Elle arc-boute sauvagement contre sa cuisse la caisse de son violoncelle et en tire des sons pareils à son état d'âme : rageurs, maussades. Peu à peu, elle se laisse prendre à la magie du travail en commun et met à la fin plus d'entrain que les autres dans le crescendo et le fortissimo.

Henriette la douce est toujours d'accord ; elle aime le violon et en joue agréablement. Colette accompagne au piano : elle y met son enthousiasme coutumier, impatiente quand le chef interrompt un passage par de petits coups sur son lutrin.

Que j'aime ces concerts ! Je n'en manque aucun. Je ne vais sûrement pas rater celui-là. Je m'assieds sur le divan, bien calée dans les coussins, entre les deux peintures à l'aiguille où une bergère de Watteau se balance à l'escarpolette, puis fuit l'orage en abritant le berger sous son écharpe.

Sur mon divan, je me sens à la fois humiliée de n'avoir aucun talent et satisfaite qu'on ne réclame de moi nul effort. Je reste libre de rêver pendant que mes cousines se démènent, avec des grimaces d'application, pour nourrir ces mêmes rêves.

Sans doute cette unique auditrice stimule-t-elle les exécutants. Les premières mesures laborieusement franchies, les sons prennent plus d'ampleur, le violon chante vraiment, et le violoncelle ne se lamente plus que de loin en loin. Mon oncle rayonne.

— Ça va y être, mes tigresses ! Nous sommes en progrès.

Les cousines se regardent par-dessus leurs partitions et échangent un clin d'œil complice. « Pauv' papa ! Il croit encore à ses rêves ! »

Mais il dit aussi, ce regard : « Cher papa, comme c'est facile de t'aimer ! »

Vers deux heures, la séance de musique terminée, Colette me demande :

— Qu'est-ce qu'on fait ?

Je me sens paresseuse, et pourtant je ne tiens pas en place. Avec cette chaleur, le docteur doit bien être quelque part où une jeune fille honnête puisse le rencontrer sans avoir l'air de se jeter à sa tête.

— La partie de balle, ça te dit quelque chose ? suggère Colette. Ville-Marie joue contre les Anglais de Temiscaming. Papa en est, oncle Sylvio et oncle René aussi. Allons les encourager.

Bras dessus, bras dessous, nous montons à l'assaut de la grande côte.

Le champ de course occupe un vaste quadrilatère au sommet du plateau. On l'utilise, à l'occasion, comme terrain de balle molle. Ce dimanche-là, il s'étend, immense et nu sous le soleil qui jaunit déjà sa maigre pelouse. Des enfants courent autour des joueurs locaux qui s'exercent, entre les coussins de sable, à se renvoyer la balle. Des robes claires, à la douzaine, émaillent le paysage de rose, de bleu, de vaporeux.

Nous nous assoyons à l'ombre de l'auto qu'Henriette, arrivée après coup, a remisée non loin du marbre, derrière le filet. Pas de *Ford* dans le décor, partant, pas de joie ! La *Packard* a des fourmis dans les roues.

— Si nous faisions une balade à la baie ? offre Henriette à la ronde.

Son Jean acquiesce :

— Pourquoi pas ?

Jamais l'immensité blonde et bleue n'a paru plus jolie, ni plus accueillante. De coquettes villas, hautes sur pattes à cause des crues possibles, y ont poussé en rang d'oignons, le long des grèves.

La ferme, jadis si vivante, dort dans une solitaire grandeur. L'herbe folle, que les animaux ne broutent plus, envahit les sentiers et ceint le balcon d'une mouvante clôture verte. Au centre du potager, seules quelques touffes de maïs sauvent la face.

— Moïse est parti ? dis-je, saisie par le spectacle poignant qu'offre cette maison noire dans le lumineux paysage.

— Depuis l'an dernier, précise Colette. En fait, depuis que sa mère s'est remariée avec un cultivateur du rang voisin, un nommé Rouleau.

— Jocrisse Rouleau ?

— Si !

Malgré la cocasserie du détail, aucun rire ne fuse.

— On le croit aux mines d'or de Rouyn.

— Mineur, le cèdre du Liban ! Tu te souviens, Colette, comme il aimait l'espace, la liberté, son indépendance. Qu'a-t-il pu arriver ? Deux ans ont suffi pour chambarder sa vie. Deux ans... et quoi d'autre ? Toi, peut-être ?

— Moi ?

Je pose la question par jeu, mais Colette ne joue pas. Poings serrés sur les tempes, elle retrace, au hasard des rencontres de l'année dernière, sa participation à l'histoire.

37

— L'an dernier, dit-elle lentement, je l'ai aperçu au village, à plusieurs reprises. Je lui faisais « Bonjour, ça va ? » et puis, je n'y pensais plus. Je n'y attachais pas d'importance. Tu comprends, j'avais le docteur. L'épisode Moïse restait un souvenir agréable, rien de plus. Oh ! Rosanne ! S'il fallait qu'il se soit imaginé...

— Tu ne serais pas flattée qu'un homme ait tout quitté à cause de toi ?

Et Colette, avec un rire ténu :

— Je ne sais pas. Peut-être. Mais nous nous trompons. Il faut que nous nous trompions. Je ne veux pas avoir fait à quelqu'un ce qu'on m'a fait à moi. Si tu savais, Rosanne, comme c'est pénible d'aimer encore, quand l'autre n'aime plus. Et douloureux.

« Enfin ! me dis-je, elle s'engage sur la voie des confidences ; elle va me parler du docteur et clarifier la situation. Me laisser la voie libre. »

Nenni ! Elle s'enfuit à la course, emportant son secret.

— Montez, les enfants, commande Jean. Vite ! Sinon nous manquerons l'apothéose.

La partie s'achève. Tout le village s'en délecte. Les applaudissements fusent, mêlés d'appels affectueusement vulgaires. Ville-Marie dame le pion aux « étrangers ». Les gens, assis à l'indienne, épongent en chœur leurs fronts moites.

— *Three men out !* hurle oncle René, improvisé arbitre pour la circonstance et heureusement plus fort en ventes au détail qu'en orthographe anglaise.

Le changement d'équipe s'effectue dans un gai tohu-bohu. Les bouffants blancs rayés de noir se saisissent des points stratégiques, un pied sur le coussin, l'autre aux antipodes. Le lanceur lance, le receveur reçoit, et la manche se poursuit, palpitante pour les initiés.

Henriette gare la voiture le plus près possible des joueurs. Colette et moi nous penchons à la fenêtre.

A portée de voix, une commère échange ses impressions avec sa voisine.

— J'te l'ai ben dit, Desneiges ! Quand l'docteur Renaud joue, on gagne toujours.

Colette me regarde, estomaquée. Quoi ! le docteur joue, et elle n'en a rien su. Nous avons perdu deux heures à nous promener quand nous pouvions nous repaître de lui à notre goût.

Il est là, branché au troisième but, dans l'attitude du Discobole, mais sans disque et vêtu. La balle file vers le frappeur. Un son sec, la débandade dans l'équipe adverse, et le docteur s'élance sur le marbre ventre à terre : victorieux !

Devant les bravos, il enlève sa casquette pour saluer, puis, évitant les sollicitations de sept ou huit vierges folles, il s'avance vers notre voiture. Il a l'air d'un jeune premier de 1900, perdu dans sa flanelle blanche. On le mangerait tout rond. Et ce sourire éclatant, ce sourire rare mais contagieux qui déplisse d'un coup ses traits graves, il l'arbore pour nous, comme un étendard.

La bavarde fermière louche avec envie sur les chanceuses que son demi-dieu honore de l'auguste présence. Je ne donnerais pas ma place pour un « billet de saison ».

Il s'appuie à la portière et pose sa main sur mon bras replié.

— Puis-je me permettre, jolies dames, de vous dédier ce point compté exprès pour vous ?

Sa figure touche la mienne. Sa peau, moite de sueur, sa joue, rasée de frais, semblent si douces que je retiens, de la gauche, ma main droite tentée de caresser le beau fruit.

J'ai noué, le matin, un ruban lavande dans mes cheveux. Je le lui remets avec un sourire tremblant. Il tourne ma main tendue pour en baiser la paume et la conserve dans la sienne.

— Les couleurs de « ma dame » nous conduiront à la victoire.

Colette enlève aussi son ruban et me repousse pour le lui tendre.

— Deux couleurs valent mieux qu'une. Vous gagnerez deux fois plus vite.

Il rit en baisant à la volée l'endos de sa main. Oncle René lui fait, de loin, de grands signes impatients auxquels il obéit à regret.

— Si vous êtes libres, je passerai vous prendre ce soir, promet-il en filant comme un cerf.

Ainsi commence l'aventure douce-amère du nouveau trio et l'été enchanté de Rosanne. Avec Moïse, nous avons connu le même partage ; mais nous avons mûri, et cet homme-là ne nous laisse pas indifférentes, comme l'autre. Nous le voulons toutes les deux.

Ce soir-là, Colette se glisse sans ambages au milieu du siège, près de lui, me cédant la portière. Le docteur se penche constamment pour m'atteindre par-dessus elle. « Moi seule l'intéresse, me dis-je... Il la connaît comme le joli livre feuilleté tout un été, tandis que mes pages neuves recèlent un inconnu qu'il veut cerner, apprivoiser, réduire, peut-être. »

Les balades à trois deviennent une habitude quotidienne. Le docteur nous amène avec lui « aux malades ». Il nous appelle ses petites Florence Nightingale, et, ma foi ! nous nous prenons pour des anges de bonté, quand il nous arrive de ramener un éclopé à l'hôpital, sa tête sur nos genoux, sa main dans la nôtre. Diagramme : toujours Colette au centre, et moi, loin, de l'autre côté.

Je vis pour ces promenades, contente des miettes que Colette me laisse, certaine qu'aux yeux des passants, une idylle chaperonnée par Rosanne se poursuit entre le docteur et Colette.

Un soir, pourtant, tout change. Avant que ma leste rivale ne s'incruste à son poste, il tire ma main et commande :

— Montez d'abord, Rosanne. Venez près de moi.

Le bien-aimé manifeste ses préférences. J'ai gagné la partie. Mon bras nu touche le drap rude de son veston et s'y frôle avec allégresse. Colette s'enferme dans un mutisme boudeur qui donne à l'événement, banal en soi, sa pleine signification. Le chaperon, ce n'est plus moi, mais elle. Et ce chaperonnage, Tante n'en démord pas. Drapée dans son autorité, elle reste inflexible :

— Défense expresse de sortir seule, en voiture, avec qui que ce soit.

Marilou et Henriette trichent ; pas nous. Mais mon chaperon taciturne me gâche, chaque fois, le meilleur de ma joie.

5

C'est l'époque des soirées familiales à la baie. Chacun apporte un panier de provisions fastueusement garni ; on déverse les victuailles au centre de longues tables montées en plein air, sur des trétcaux, et on se régale de *tourtières*, porc en gelée, pâtés de framboises et autres délices.

Les parents tolèrent le bain mixte, mais quelle surveillance ils nous infligent ! Nos modestes maillots révèlent pourtant bien peu de nos corps, et quelques hommes seulement ont troqué le maillot à jupe, troué aux aisselles, contre la culotte serrée, moins discrète, mais plus élégante.

La première fois que j'aperçois le docteur sans son habit gris, je suis surprise, émue presque, par son apparence. Je le croyais plus musclé ; il m'apparaît frêle, malgré sa réputation d'étoile du baseball et du tennis. Son torse se parsème de plaques rouges qu'il essaie de dissimuler en croisant les bras sur sa poitrine. Il rit de mon air malheureux et cherche les yeux que je détourne de crainte de l'embarrasser.

— Ne vous inquiétez pas, Rosanne, je ne couve ni la rougeole ni quelque maladie honteuse. Je souffre d'urticaire. Et vous en êtes responsable.

— Moi, responsable ? Allons donc !

— Vous et les fraises des champs cueillies pour moi, hier. Mon organisme ne supporte pas les fraises. Allergie.

— Je ne suis pas responsable de la conduite de mes fraises.

— Caïn, va ! Une veine que je supporte les Rosanne, sans quoi vous passiez un mauvais quart d'heure.

41

Nous en restons aux taquineries et au badinage ; mais, en sa présence, j'ai toujours l'impression de marcher, hypnotisée, sur une corde tendue au-dessus du vide. Je me repais furtivement de son visage quand je le sais incapable de surprendre mon manège. Je tiens à passer pour insensible à son charme, difficile à conquérir. Maladroite ! Il ne peut pas, s'il a quelque expérience des femmes, ne pas sentir la ferveur de mon attachement.

Quand il entre dans une pièce où je suis, qu'il me cherche du regard et qu'un sourire illumine son masque sage, ma journée est faite. Je vis intensément jusqu'à son départ, adoptant d'emblée ses opinions, chérissant jusqu'aux inflexions de sa voix.

Rien ne me trahit encore devant la galerie. Je soigne ma réputation pour que brille mon auréole de fille charmante, tout-à-fait-le-genre-qu'on-épouse. Les soirs de boustifaille, sitôt les derniers gâteaux engloutis, les jeunes s'envolent à tire-d'aile vers les jeux de groupe : sauts en longueur, parties de cache-cache, courses au trésor ; d'autres, dissimulés derrière un rideau d'arbres, fument des bâtonnets de jonc. Qui, selon vous, lave la vaisselle ? Qui récure les casseroles ? Cette délicieuse Rosanne, si dévouée, si vaillante, les joues rosies (noblesse oblige) par son ardeur au travail et les compliments qu'elle mérite. Et que je te frotte par-ci, et que je t'astique par-là. Un coup pour le chaudron, un pour l'auréole.

Succès complet. On m'admire à dix milles à la ronde ; on me cite en exemple aux cousines qui me vouent, j'imagine, aux gémonies pour ce zèle excessif et l'odieux de la comparaison.

Vaisselle rangée, tables pliées, on se love aux abords de la plage. Sur le sable, toute la soirée, brûle un grand feu de bois. Les lumières d'Haileybury clignotent au fond de la baie. On s'étend à même le sable, dans la nuit odorante, qui sur le dos, qui à plat ventre, et on chante en chœur.

Le firmament jette sur sa toilette multicolore une cape de velours sombre cloutée d'étoiles. Des vagues violettes, ourlées d'écume, meurent sur la grève avec un gémissement continu. La flamme orangée du feu se change en jaillissement d'or quand on l'alimente de rondins secs.

42

Le docteur se rapproche de la silhouette allongée qui est Rosanne et prend dans la sienne la main consentante. A mi-voix, il chuchote :

— Petite Rosanne à moi.

Ce disant, il pénètre dans la vie affective de la petite fille tendre pour n'en plus jamais ressortir. Le beau visage vulnérable qu'il a dans le reflet de la flamme ! Ses traits, énergiquement burinés sous son large front, traduisent une forte personnalité, faite de calme, de pondération, d'équilibre. D'où lui vient donc sa sérénité ? De sa profession, ou de cette autonomie personnelle qui le rend maître de lui-même et des autres, maître de moi ?

Ignorante de mon âme comme de la sienne, consciente seulement de cette tendresse dévorante que je lui voue, je cherche la faille par où me glisser pour devenir indispensable à son bonheur. Dans le noir montent les voix de mes cousines et de mes oncles. Des larmes brillent dans mes yeux auxquels Yves s'accroche pour y puiser mon cœur. Je les détourne, comme Colette déjà, heureuse que l'obscurité en dissimule le chatoiement pour garder encore un peu mon secret.

Colette ! Où est-elle, la petite Colette, que j'appelle « mon amie » et que je trahis ? Elle n'existe plus. Personne d'autre n'existe au monde que nous deux, qui nous aimons sans l'avoir dit avec des mots ou des gestes.

Elle est là, pourtant, assise entre son père et sa mère, son profil tourné vers le large. Un morceau de moi, quelque part à l'intérieur, se noue de honte. Mais c'est l'affaire d'un moment que d'éteindre les remords ; et je reviens au galop à l'allégresse première. Rosanne la sage n'a plus aucun empire sur Rosanne la tendre, menée tout entière par le bout de son cœur.

Cet été-là a été dessiné exprès pour la jeunesse. Taillé sur mesure dans un pan de ciel, il épouse nos membres de son vent léger, saupoudre nos cheveux de parcelles de soleil, parfume de trèfle notre peau hâlée. C'est un été conçu pour le bonheur. Je suis heureuse.

Des réjouissances, nées de l'impulsion du moment, s'improvisent ici et là. Je participe à toutes les fêtes, plus ardente, plus acharnée que les autres à retenir les heures dans leur course vers septembre et la rentrée.

Un soir, on célèbre chez tante Adèle le retour au bercail d'un vieux prodigue, l'oncle Bill, émigré aux Etats-Unis quelque vingt ans auparavant et qui ramène au pays natal trois Américaines : sa femme, sa fille Eve et sa voiture aérodynamique. La dernière obtient le meilleur succès de curiosité, bien qu'Eve possède, sur son châssis de sportive, des lignes séduisantes qui, parce qu'elles intéressent les messieurs, me préoccupent fort. L'oncle Bill se propose d'habiter Ville-Marie jusqu'en décembre, son médecin lui recommandant un long repos à la campagne.

Le docteur a été invité au même titre que les amoureux des aînées. Les parents viennent, de loin en loin, stimuler la conversation et rognent, en même temps, les ailes d'une fantaisie aisément débridée.

— Si on faisait de la musique, suggère Marilou. Un concours d'amateurs, par exemple ? C'est la rage en ville, d'après Rosanne.

Je parle toujours d'autorité sur la métropole, et je joue effrontément de cet atout. Beaucoup de mes phrases débutent par « A Montréal... » Mes interlocuteurs, alléchés, m'écoutent attentivement.

— A Montréal ?... Ah ! oui, dis-je, pénétrée de mon importance. Les concours maison font fureur. (Dans quel guêpier je me fourvoie !)

— A la radio, surtout, déclare l'ami d'Henriette, on fait grand cas, ces temps-ci, d'une émission de ce genre.

— Eh ! bien, imitons les citadins, de déclarer Marilou.

Chacun s'exécute, à tour de rôle. Eve débute par une danse à claquettes ; Marilou nous sert, poivré et réchauffé, son éternel *Boléro* ; Henriette sérénade, sur le violon, l'air inspiré. Appliquée comme une couventine, Colette joue sa mazurka de concert. Il n'y a plus, sur le carreau, que le docteur, retranché derrière un appel attendu, et moi, qui ratatine mes cinq pieds cinq pour qu'on oublie ma présence.

— Vous, Rosanne ? interroge Yves, persuadé qu'on me garde pour le dessert.

— J'ai oublié ma harpe à Montréal, dis-je en blague.

44

— Voyons, Rosanne, tu chantes très joliment, déclare tante Adèle, qui assiste de loin à la scène.

Moi, chanter ? Je n'ai appris ni solfège, ni harmonie. Pourquoi tante me place-t-elle sur la sellette ? Me fournit-elle l'occasion de briller ou la corde pour me pendre ?

— Chante, chante, insistent les amis, à cent lieues de comprendre qu'Yves me prive de mes moyens. Lui aussi se joint à la meute.

— Qu'allez-vous nous interpréter ?

— Je ne sais rien, dis-je frénétique.

— Mais si, proteste Colette... le nocturne de Chopin sur lequel on a mis des mots. Tu le chantais, hier, en rentrant de la baie.

Oh ! la misérable créature ! Le docteur comprendra que je chantais pour lui, à cause de lui.

— Je t'accompagne, allons-y, commande mon bourreau en jupons.

Je suis prise au piège. Je n'ai plus qu'à tendre le cou. Pendant que Colette prélude, Marilou prépare, dans mon dos, les disques populaires pour la danse qui suivra.

Mon cœur vous dédie sa mélodie.
Ma voix bien timbrée tremble, tremble.
Où mon amour vous parle à voix si tendre
Qu'il faut l'entendre...

Dégagée de l'émoi initial, je chante avec une ardeur contenue, les yeux rivés à une rose du tapis.

Et quand il bat avec violence,
C'est qu'il s'émeut de votre absence,
C'est qu'il renonce à tout espoir...

Le « sol » me guette pendant mon ascension vers la catastrophe. La note, que je rends faible, mais pure, pour moi seule, craque dans mon gosier avec un couac ! lamentable. On couperait à l'égoïne le silence subséquent. Marilou bouge, ouvrant, sans se presser, le couvercle de l'orthophonique.

Je me ressaisis et continue bravement la chanson, puis je recule jusqu'à l'ombre du divan pour me perdre dans les coussins.

Je m'assieds, avec un fracas de tonnerre, sur les disques empilés, les réduisant en pièces.

L'éclat de rire, retenu tout à l'heure, refuse de se laisser comprimer plus longtemps. Je me tiens à quatre pour ne pas fondre en sanglots. Enchâssée au milieu du désastre, je regarde sans la voir tante Adèle qui évalue l'ampleur de la perte.

— *She's as red as a boiled lobster !* pouffe Eve.

— Voyons, Rosanne, lève, qu'on ramasse les miettes, ordonne Marilou, mécontente de l'immolation de ses disques.

Où me réfugier ? L'humiliation m'atteint d'autant plus durement que le docteur en est témoin. Traverser le boudoir sous le feu des figures gouailleuses ? Je ne m'en sens pas la force. Yves s'approche. Il dit, à la ronde :

— J'offre du chocolat à chacun des participants. Je cours à la pharmacie chercher mes meilleures boîtes.

— Allez ! rit Henriette, rapportez la marchandise qui se vend mal.

Le docteur me tire par la main.

— Vous m'accompagnez, Rosanne ?

Comment donc ! Sauvée du naufrage par cette marque d'estime (n'importe laquelle des autres, Eve en particulier, donnerait sa dent de l'œil pour la mériter), je sors du salon comme si on me propulsait au dehors. Dans la voiture, il se tourne vers moi et me sourit.

— Enfin, je vous ai un peu à moi. Il en a fallu de la persévérance pour y arriver !

Il prend au menton mon visage chagrin.

— Dites-moi, Rosanne, le Chopin de tantôt, pour qui le chantiez-vous ?

« Hein, hein ? qu'est-ce que je te disais ? triomphe mon intuition bavarde à l'intérieur ; il s'en est aperçu... »

— Le sais-je ? dis-je, pour éluder la question trop directe.

— « Mon cœur vous dédie sa mélodie »... L'aubade est jolie. Elle vous ressemble.

Il me fixe droit dans les yeux. Une telle sympathie réchauffe son sourire que ma grosse peine s'envole.

— Pour qui, Rosanne ?

Le silence semble seul assez fort pour répondre ; mais il parle, ce silence, mieux que des phrases maladroites. Il dit : « Pour qui ? mais pour vous, cher aveugle, qui d'autre ? »

— Vous ne répondez pas, fait-il. Qu'à cela ne tienne, j'attendrai. Je sais être très patient, quand ça vaut la peine.

— Merci, dis je, dans un souffle, merci,... mon amour.

La voiture démarre. Il n'entend pas la fin de la phrase.

— Demain soir, clame-t-il, congé ! Nous irons au ciné, à Haileybury. On y joue *Adorable.* Le titre vous va trop bien pour qu'on manque ce film.

— Seuls, tous les deux ?

Tante ne voudra jamais, et je n'irai pas contre sa volonté.

— Pourquoi pas ? dit-il. Vous avez confiance en moi ?

— J'irais au bout du monde avec vous !

Il rit :

— Et vous refusez de me suivre à cinquante milles d'ici. Votre univers est bien restreint. Alors, disons que nous invitons Colette, tante Reine, à qui je dois cette politesse, votre cousine Eve, dont c'est le quinzième anniversaire, le chien, le chat, les poissons rouges et le père Hébert.

— Vous exagérez ! Eliminons le père et la ménagerie ; gardons les autres, et marché conclu.

— Vous êtes adorable, Rosanne !

Et, avec un grand rire qui enlève à l'expression sa vraie signification :

— Et... je vous adore !

Des mots ! Enfin des mots ! Et, le lendemain soir, des gestes, si doux, si inattendus qu'ils me laissent frémissante dans le noir. Nous revenons du cinéma par les chemins déserts des campagnes à minuit. Pas de lune. La voiture, à bout de souffle, s'arrête, feux éteints. Il faut reposer le moteur. Sur le siège arrière, tante Reine, heureuse de sa soirée, entonne, de sa belle voix d'église, le grand air de Dalila. Eve s'est endormie, la tête sur les genoux de tante. A mes côtés, en avant, Colette somnole, appuyée à la fenêtre ouverte.

Mon cœur s'ouvre à ta voix,
Comme s'ouvrent les fleurs...

chante tante Reine, avec ardeur.

L'obscurité nous dérobe les figures de nos voisins ; en revanche, elle procure à leurs corps une chaleur ardente, qui pénètre jusqu'à l'âme. Yves porte ma main à sa bouche. Lentement, il en baise chaque doigt, la tournant et retournant pour appuyer ses lèvres à la paume et y imprimer un dessin bouleversant. Je reste immobile, blottie contre lui. De loin en loin, Tante questionne :

— Qu'est-ce que je vous interprète maintenant ?

Ou encore :

— N'allons-nous pas bientôt repartir ?

Yves répond, le timbre étranglé d'émotion. Son bras entoure mes épaules ; il me serre contre lui, et sa bouche, tout à coup, cherche, à travers ma joue, ma bouche, qu'instinctivement je refuse.

Pourquoi détourner la figure, quand je ne désire rien davantage qu'un baiser de lui ? Ai-je peur ? Peur d'Yves ? Oh ! non ! non ! Jusque-là, il a si bien respecté ma candeur d'adolescente, ignorante des mystères charnels de l'amour, mon innocence de petite fille qui connaît seulement des hommes le trouble délicieux qu'ils jettent en elle. Je ne comprends pas la nature et la beauté de son respect, mais il me tient dans un climat de confiance. C'est le baiser que je redoute, et non celui qui veut le donner. Ces effusions physiques me prennent par surprise. Je ne suis pas prête, et pourtant, j'en ai rêvé éveillée, le matin même.

Son bras s'est retiré de mes épaules. Je l'ai blessé, peut-être ? Toutes ces dépenses pour m'offrir le cinéma, et moi, je refuse une chose si simple, la seule qu'il veuille de moi.

— On repart ? demande Colette, dressée sur son séant comme un polichinelle.

— Eh ! oui, on repart, dit Yves, en démarrant.

— Pas trop tôt.

De façon que personne d'autre que moi n'entende, Yves me glisse à l'oreille :

— Pour ça aussi, Rosanne, j'attendrai.

Une cape de velours sombre clouté d'étoiles...

6

Ce qui doit arriver arrive. Colette se révolte. Un soir que nous sommes seules à la maison, Yves vient nous inviter à un spectacle dramatique, à dix milles de Ville-Marie.

J'accepte l'invitation sans me faire prier et monte quatre à quatre, me pomponner pour la circonstance. Quand je redescends, il m'attend, assis dans le fauteuil d'oncle Henri, le chat sur les genoux. Pas de Colette dans le décor.

— Où est-elle passée ? Je la croyais avec vous, dis-je.

— Et moi, avec vous.

J'ai beau la héler à pleine voix, elle reste sourde à mes appels.

— Venez sans elle, propose-t-il avec un sourire si engageant que j'esquisse trois pas vers la porte. Dieu sait combien je suis faible devant la tentation. Ma seule défense, c'est la fuite. Mais ici, la fuite... avec Yves devient faiblesse.

Il faut trouver Colette. Sa disparition m'inquiète. Dormait-elle vraiment, le soir d'Haileybury, ce soir dont le seul souvenir me chavire le cœur, ou feignait-elle le sommeil pour mieux nous épier ? Est-elle capable de gestes désespérés ? Faut-il craindre un coup de tête ?

J'appelle à tous les échos :

— Colette ! Colette !

— Qu'est-ce qu'il lui a pris ? tonne le docteur.

— Elle en a assez du chaperonnage, tiens ! dis-je.

Au fond, je sais bien, moi, ce dont Colette a assez. C'est de mon succès et de son échec auprès de cet homme.

— Colette ! Colette !

Je vais abandonner quand j'entends un reniflement prolongé. Elle se cache dans le placard de la cuisine, pleurant toutes ses larmes sur les feutres empilés.

Je veux la consoler ; elle me repousse, le geste brutal.

— Ne me touche pas. Pour l'amour du ciel, va-t'en, Rosanne, va-t'en !

— Pourquoi pleures-tu ? Tu pensais que nous te laissions seule ? Pas question.

Le docteur, mal à l'aise, s'est retiré et attend dehors l'issue du combat. Colette pleure toujours, rendue presque hystérique par un chagrin trop longtemps contenu. J'insiste, et elle taxe mon insistance d'égoïsme, voyant plus net en moi que moi-même. Qu'elle est clairvoyante et âpre, la petite sœur d'été, avec ses yeux, sa voix, ses mains qui repoussent !

— Tu aurais dû rester à Montréal, crie-t-elle. Va te faire embrasser dans le noir ! (C'est donc ça !) Je n'irai plus avec vous, jamais !

Révolte de femme avec des moyens d'enfant. Sa crise passée, Colette, toute dolente, se laisse prendre par la main, comme vidée d'initiative personnelle, et nous accompagne à la salle.

Le soir, au retour, honteuse de sa colère et des mots blessants qu'elle m'a lancés, elle souffle dans mon dos (nous couchons en chien de fusil et, même fâchés, nos corps reprennent l'attitude habituelle) :

— Veux-tu me pardonner, Rosanne ?

Lui pardonner ! C'est moi qui devrais l'en supplier, moi qui l'ai traînée dans cette salle joyeuse où ses yeux meurtris, sa figure défaite révélaient son affliction.

— Bien sûr que je te pardonne, nouille, fais-je, magnanime ; mais je n'ose pas l'embrasser pour confirmer cette assurance.

Que vaut donc mon amitié ? Pas grand-chose. J'en donne une nouvelle preuve, le lendemain, plus concluante encore, parce que, cette fois, c'est tante Adèle, et non ma conscience, qui me révèle mon tort.

Colette n'a parlé de rien : je me garde d'ébruiter l'affaire. Je les laisse tous partir à la baie, prétextant des lettres à écrire. Je veux rester seule ; j'escompte un appel téléphonique : le sien.

— Rosanne, hésite la belle voix grave, au bout du fil.

— C'est vous, docteur ? Bonjour, prononce sagement la jeune fille posée. « Quelle joie ! mon cher chéri », s'extasie la voix intérieure.

— Tante Reine désire faire des emplettes à Rouyn. Elle m'a prié de l'y conduire. Vous nous accompagnez ?

Rouyn ! Cent milles aller, cent milles retour avec lui, à travers les brûlés ! J'hésite, pourtant.

— Laissez-moi réfléchir.

— Je vous donne une seconde, et j'exige un « oui ». Vous dormirez à l'hôtel avec votre tante. A tantôt,... ma chérie !

« Ma chérie »... Il a dit « Ma chérie ». Le cœur m'en bondit de joie dans la poitrine.

Cinq minutes plus tard, je l'attends dehors, une mallette à la main, du soleil plein les yeux. Un mot à tante Adèle : « Partie à Rouyn avec tante Reine et le docteur », et vogue la galère. Le chaperonnage est assuré.

Qu'a-t-il fait, conté, promis, mon amoureux, pendant ces deux jours de ciel ? Impossible de m'en souvenir. Mais je me rappelle, comme une brûlure au fer rouge, l'attitude de tante Adèle, au retour.

— Mademoiselle prend des permissions ! On va se promener sans prévenir !

— Vous étiez absents, Tante. Je vous ai laissé un mot.

Je me débats tant bien que mal, et plutôt mal que bien, puisque les traits sévères ne se détendent pas.

— Je suis responsable de toi, Rosanne. Tu aurais dû attendre mon retour.

— Je ne pouvais pas, ils seraient partis sans moi.

— Tu n'as pas pensé, continue la voix inflexible, que Colette aussi aurait aimé un voyage en Abitibi ? Pourquoi ne l'as-tu pas fait inviter ?

Pourquoi ? C'est bien simple. Je n'y ai pas pensé. Pas une seconde. Mais comment l'avouer à mon juge, comment le dire à Colette, qui a si humblement quêté mon pardon, l'avant-veille, et qui écoute, silencieuse, à deux pas, la semonce que sa mère m'adresse.

J'éclate en larmes et, tout en cherchant dans ma poche un mouchoir introuvable, je bégaie :

— Je ne sais pas pourquoi, tante Adèle. Je regrette, si vous saviez combien !

— Tu te conduis très mal envers Colette. Crois-tu que je puisse accepter plus longtemps les responsabilités que j'ai prises envers ta mère en t'accueillant ici ?

On va me renvoyer. Je pense à tante Reine comme à une planche de salut. Je vais chez elle, tous les ans, passer une semaine ; le temps est mûr pour cette année. Entre l'objet de mon remords et moi, je mettrai la longueur du village. De plus, je me rapprocherai d'Yves, puisqu'il habite aussi chez tante Reine.

— J'ai abusé de votre hospitalité, dis-je, la voix tremblante. Tante Reine m'invite chez elle. Si vous voulez, je partirai tout de suite. J'écrirai à maman ce soir pour lui expliquer... lui expliquer...

Les mots ne passent plus. Je monte à ma chambre, prépare quelques bagages et redescends, tête basse, effrayée à l'idée de les affronter encore, oncle Henri et ses bons yeux tristes, Colette, la cause de cette scène, Marilou, rangée en bataille du côté de sa sœur, et Tante... Tante qui ne m'aime plus.

Le salon est vide. A la porte. Henriette m'entraîne vers la voiture.

— Viens, dit-elle en prenant la valise. Je te reconduis. T'en fais pas, va ! L'orage passera.

C'est ainsi que j'entre dans la maison de ma grand-mère, qui est aussi celle de tante Reine, d'oncle Sylvio et... de mon bel amour.

Cette maison, mon grand-père l'a construite en beau bois de pin, solide et assez spacieuse pour abriter ses onze enfants. Quelques années après sa mort, elle est passée, à l'amiable, entre les mains compétentes d'oncle Sylvio et de tante Reine. Cette dernière perpétue, avec sa mère, les traditions d'hospitalité chères à celle-ci et proverbiales dans le canton.

Comme un champignon poussé face au large, la maison se blottit sous un capuchon de tôle grise. A l'ombre de ses vieux érables, *Castel riant* cache un verger contrariant dont les pommes s'obstinent à rester pommettes et un exubérant jardin dans lequel croissent des rhubarbes géantes, des zinnias et des phlox. Une clôture rustique ceinture cet éden et garde son mystère au kiosque à toit pointu qui pourrit tranquillement au centre du bosquet.

Grand-maman s'est réservé une part de l'étage. Elle y a sa chambre et son oratoire. Robuste, haute en couleur, elle porte droit, malgré les ans, un corps de femme forte donné sans marchandage à sa tâche de mère et de pionnière. De pionnière, oui, je dis bien, car mes grands-parents ont émigré au Témiscamingue, en 1886, avec les premiers colons.

— Drôle d'idée de quitter la civilisation pour les bois ! dis-je, quand elle m'apprend ce passé étonnant.

— Dieu avait ses vues sur nous, ma petite fille. Mais quel moyen il prit pour nous les indiquer ! Trois cercueils blancs. Trois enfants arrachés de nos bras en deux jours, par une épidémie de diphtérie. Nous étions inconsolables.

— Vous vouliez recommencer à neuf ?

— Nous cherchions un dérivatif à notre douleur. Le meilleur, va, reste encore le travail. Ton grand-père avait grandi sur une ferme. Malgré ses études universitaires, il restait attaché à la terre. La poussée de colonisation nous sembla une planche de salut. Le Témiscamingue, c'était la forêt vierge, le pays neuf, l'oubli.

Séduits par le site enchanteur et les richesses de la région, grand-père et grand-mère prennent la route du Nord avec les deux enfants qui leur restent, une fillette de sept ans et une de quinze mois.

Ville-Marie s'appelle alors la Baie-des-Pères. Trois milles plus loin, dans le fort historique utilisé pendant le régime français comme comptoir de la Compagnie de la Baie-d'Hudson, résident quelques missionnaires Oblats, les seuls blancs des alentours.

— Ainsi, je peux prétendre que mon grand-père a fondé Ville-Marie ?

— Oui ; sois-en fière.

Et grand-maman raconte, pour sa petite fille, le voyage épique à travers une nature hostile.

— Tout s'acharnait contre nous : le train, d'abord, qui s'arrêtait à Mattawa, limite de la voie ferrée, à cent milles de notre destination. Il fallut abandonner les bagages et grimper dans un tombereau, puis traverser en radeau la rivière des Outaouais, couverte des billes de la *drave*. Le soir tombait, les enfants pleuraient de frayeur et de fatigue...

— N'attendiez-vous pas un enfant, à cette époque ?

— Si !

Ses paupières se plissent d'amusement.

— Ton oncle Alphonse. Le plus costaud de mes fils. Comme quoi un peu de misère forge des corps solides et des âmes trempées.

Ils mettent enfin pied à terre, à minuit, devant une cabane grossière, érigée pour eux par des bûcherons.

— Pourquoi minuit ?

— Pas pour dramatiser, dit grand-maman, ironique. Tu connais la largeur de la baie et ses vents contraires. Nous étions si épuisés que la cabane nous sembla un palais. Pourtant, elle était rudimentaire, avec ses divisions intérieures de coton jaune et ses fenêtres fermées par des couvertures de laine grise. Les meubles nous parvinrent trois mois plus tard. Ton grand-père en construisit quelques-uns, en attendant. Nos premiers voisins habitaient **douze** milles plus loin.

Interminable se déroule la glorieuse aventure. Grand-père essouche son terrain ; deux bûcherons bâtissent la maison et il ouvre, peu après, un magasin général à l'intention des colons.

La même année, à l'automne, il leur naît un garçon, le premier enfant blanc du Témiscamingue. Les nominations pleuvent sur mon grand-père : agent des terres de la Couronne, greffier de la cour de Circuit, maire de Ville-Marie, préfet de comté, et, au milieu de ce tralala, sa profession qu'il exerce enfin, le notariat.

Grand-maman est la digne compagne d'un tel homme. Affable avec tous, elle reçoit aussi aimablement la pauvresse venue solliciter une aumône que la femme du député. Depuis la mort de son mari, elle n'a plus porté que du noir : mais elle ne vit pas pour autant en recluse. Qu'elle sait bien rire et taquiner !

Je ne me lasse pas de sa compagnie, et j'aime qu'elle m'invite à monter chez elle. Je lui parle du docteur, déversant mon trop-plein, heureuse de l'estime qu'elle lui porte. Elle aussi, pourtant, me conseille la prudence.

— C'est un don Juan, prends garde ! Il n'a d'yeux que pour toi, d'accord. Il rit de toutes tes blagues, même des mauvaises, et tu les multiplies, les mauvaises, depuis quelque temps. Mais est-ce que ça durera ? Attends, attends un peu, ma chère enfant.

Patienter, réfléchir, se refuser la libération du geste spontané, pour étudier, peser, juger avant d'agir, c'est, je crois, le secret de sa sagesse. Sans doute, doit-elle un peu de son incontestable dignité à cette discipline intérieure. Je la lui envie, sans chercher à l'imiter : ma joie, je ne veux pas la différer ; il me la faut immédiatement.

Tante Reine a cédé au docteur une chambre au second, avec vue sur le lac. J'y viens fureter, en son absence, et respirer son odeur de tabac, toucher ses choses. Je toise du regard la photo de sa mère. L'aimera-t-elle, cette femme, la petite Rosanne qui se meurt d'amour pour son fils ?

Yves vaque comme d'habitude, à ses occupations. Nous déjeunons ensemble, lui, dans son inusable habit gris (est-il pauvre ou économe ?), moi, dans mon plus joli déshabillé, au grand désarroi de grand-maman, qui me voudrait plus discrète dans ma toilette et mes attitudes. Je m'épanouis, loin de Colette, loin de tante Adèle. Lui aussi se dégage des contraintes. Il me manifeste une tendresse amusée, contre laquelle j'élève toujours mon pathétique petit mur de résistance.

Il croule d'un coup, le mur, vers la fin de mon séjour. Nous revenons, tous deux, du tennis ; il m'a battue à plate couture...

— Qu'il fait bon au frais ! s'exclame-t-il, en pénétrant dans le salon aux stores tirés sur la chaleur accablante du midi. Venez vous asseoir, Rosanne. Je vous prépare une limonade.

Penché vers moi, il me regarde, tout sourire, quand, soudain, quelque chose passe de ses yeux dans les miens, quelque chose d'étourdissant, de vertigineux qui nous porte l'un vers l'autre, irrésistiblement.

Ses lèvres sur les miennes, je pense, en un éclair : « Comme il sait bien ! » Le geste est si parfait ! Pour lui, sans doute, un baiser, « à tout prendre, qu'est-ce ? » Moi, j'y lis un aveu d'amour profond, une prise de possession, plus encore, une mainmise sur nos deux futurs conjugués.

— Mon enfant chérie, dit-il.

Je tremble de joie. Une immense humilité me pénètre d'avoir mérité cet inoubliable cadeau des lèvres chères sur les miennes. Ces lèvres, combien de fois, à la dérobée, j'en ai regardé le dessin !

— La limonade, déclare-t-il soudain, j'oublie la limonade.

Il se lève d'un élan souple, me laissant rougissante devant tante Reine, entrée dans la pièce, son sac à tricot sous le bras.

— Tiens, Rosanne. Comme tu es rose ! dit-elle. Seule ? Où est le docteur ?

— Dans la cuisine. Il prépare une boisson fraîche.

— Et cette drôle de frimousse que tu as ! Il s'est passé quelque chose ?

Ça crève les yeux. Mes joues ne perdront pas de sitôt leur incarnat révélateur. Autant avouer.

— Tante, il m'a embrassée.

— Sur la bouche ? Il t'a embrassée sur la bouche ?

— Oui.

Elle n'en revient pas et ne sait si elle doit s'offusquer ou sourire.

— Eh ! bien, mais, c'est une conquête, il me semble.

— On dirait, ma foi !

« Il m'a embrassée, il m'a embrassée », dis-je inlassablement à mon oreiller, avant de m'endormir, arrêtée à chaque geste, à chaque mot. « Il m'aime, il m'aime ! »

7

Le soir même, au souper, Yves déclare :

— J'aimerais que ma mère connaisse Rosanne. Je suis persuadé qu'elles se plairaient.

Grand-maman semble réjouie de cette affirmation d'importance, et tante Reine, mon alliée depuis le matin, offre aimablement :

— Invitez-la à passer quelques jours ici ; je la recevrai volontiers.

— Le voyage la fatiguerait ; c'est loin, le bas du fleuve. J'amènerai plutôt Rosanne chez nous, en Gaspésie, pendant mes vacances. Si la perspective lui agrée.

La perspective, la vie, lui, tout m'agrée. Enfoncée, la citadelle ! Depuis, sous son regard, je reste sans défense, et je deviens sotte à en pleurer, me cantonnant, bien malgré moi, dans les pires lieux communs ; rien d'autre que d'amoureux ne me vient à l'esprit. Etrange sentiment qui prend toute la place et vous vide de ce qui n'est pas lui. Mes yeux ne suffisent plus à refléter mon bonheur. Rien n'efface mon sourire. J'aime. Et il m'aime. Il l'a dit, en trois mots, ces trois mots merveilleux que je grille d'entendre depuis le premier jour.

Nous causons dans la voiture garée devant la porte. Il m'entretient de sa famille, de sa maison, de son village, quand, à brûle-pourpoint, il demande de but en blanc :

— M'aimez-vous, Rosanne ?

Il le sait bien, le monstre, que je l'aime. Je souffle :

— Oui.

Il poursuit mes yeux jusque sous la frange de leurs cils.

— Vous avez dit « oui » comme si vous signiez votre arrêt de mort. Regardez-moi ; mieux que ça.

— Non, pas tout de suite. Donnez-moi le temps de me ressaisir.

— Que c'est compliqué, ces petites filles, et celle-ci en particulier ! Vous êtes fâchée de m'aimer ?

— Oh ! non, non ! Au contraire...

— Alors, pourquoi cet air chagrin ?

— J'ai peur. Ce sentiment est trop subtil, trop complexe...

— Drôle de petite bonne femme ! Si intense !

— Intense, voilà le mot. C'est l'intensité de ce sentiment qui m'effraie. Pas une seconde, je n'ai tenté de m'y soustraire. Et puis...

— Et puis quoi ?... N'ayez pas peur, allez, et puis quoi ?

— Vous ne m'avez pas dit si vous... vous...

Il rit d'un grand flux attendri. Me pressant contre lui, il murmure, si bas que j'interprète plutôt que je ne comprends :

— Oui, chère petite folle, moi aussi, je vous aime !

Quelqu'un arrive à la course, des cris plein la poitrine :

— Docteur ! Docteur ! Venez vite au quai ! Une femme se noie. Vite !... besoin de vous... Vite !

Nous n'avons rien vu, dans notre monde enchanté, du drame déroulé à deux pas. Nous nous embrassons pendant que... « Une femme ! Me dis-je, terrifiée. Pourvu que ce ne soit pas... »

Mon imagination saute aux conclusions. Je m'arrache à l'étreinte d'Yves, criant :

— Oh ! mon Dieu, Colette n'aurait pas fait ça.

La nuit envahit le village. Sur la jetée, on ouvre un chemin, parmi les gens, à deux voitures dont les phares éclaireront le travail des sauveteurs. A genoux sur le parapet, une femme scrute les profondeurs.

— La veuve Dorais ?

J'ai reconnu notre protégée.

— C'est sa fille qu'on cherche, explique oncle Sylvio, déjà sur place pour organiser, avec l'unique policier de l'endroit, le service d'ordre.

Le soulagement me coupe les jambes. Je m'appuie au hangar de tôle encore chaud de soleil.

— Tu connaissais Marie-Jeanne ? s'informe mon oncle, étonné.

— Un peu, oui. Pauvre fille.

J'entends encore sa mélopée, ce *do*, ce *fa*, répétés à l'infini, comme si les vagues berçaient en gémissant le corps disgracié.

— Un coup de folie, sa noyade, assure mon oncle. Elle prétendait marcher sur les eaux.

Il s'émeut à son tour.

— Là où elle est maintenant, sans doute y arrive-t-elle.

Des jeunes gens, à demi-vêtus, plongent d'un chaland, tandis qu'une gaffe ratisse le fond du lac pour raccrocher des vêtements.

On retrouve, peu après, le corps inerte, sa figure figée à jamais en un étrange sourire. Pendant des heures, avec des mouvements rythmés infatigables, Yves tente de ramener la vie dans les membres raidis. On doit le forcer d'abandonner la partie avant qu'il ne tombe d'épuisement, et des hommes emportent la dépouille à la morgue.

Les badauds se dispersent, quelques-uns raccompagnant jusque chez elle la mère désemparée. Nous restons seuls sur le quai. La lune éclaire de son faisceau lumineux le lac sans remords. Le splendide paysage baigne dans un irréel bleuté, comme dans une texture de rêve. Qu'il est las, mon amour, et déçu de l'inutilité de ses efforts ! Adossé à un pilier, il regarde sans les voir, les étoiles allumées une à une, collier étincelant et froid au cou du firmament. La faille ! Je la tiens enfin, la faille pour me glisser dans sa vie. Il a besoin de moi, cet homme qui se mesure tous les jours à la mort et qui perd avec un tel déchirement. Il lui faut une épaule à laquelle s'appuyer, un cœur qui sache écouter. Je serai cela, et bien davantage : sa joie, sa force, son repos !

Tendrement, je pose ma main sur son épaule.

— Venez, Yves, dis-je, son prénom doux à mes lèvres. Rentrons.

Il s'appuie contre moi, sa tête sur ma poitrine, et gémit :

— Quelle misère de se sentir aussi impuissant devant la mort ! On reste seul, maladroit, dépassé. Quand un patient meurt, on voudrait se voir bûcheron, ou cultivateur. La forêt, la terre ne demandent pas de comptes ; les humains, eux, sont impitoyables. Partons, Rosanne. J'aspire aux vacances, au repos, à la joie !

Mon rôle, tout de tendresse, me plaît infiniment. Le vent et moi caressons ses cheveux. Sa figure levée vers moi, il pose soudain une question née, j'imagine, d'idées mijotées à petit feu.

— Croyez-vous, Rosanne, que deux personnes puissent vivre avec trois mille dollars par an ?

« Voilà comme qui dirait une demande en mariage, ma fille », exultai-je. Je suis déchirée entre le désir de crier : « Mon chéri, avec vous, je vivrais dans une cabane », et la crainte de passer pour empressée.

— Il me semble que oui, dis-je, hésitante... Maman se débrouille avec moins que ça, chez nous, et pourtant, nous sommes quatre. Mais ce n'est pas la fortune, loin de là !

Maladroite ! Triple sotte ! Que ne l'embrasses-tu, en avouant : « Oui, Yves, avec vous, j'en serais capable. » C'est prouver que j'attends la grande demande un « oui » sur les lèvres. Et puis après ? Je n'ose pas. Il n'en parle plus et me ramène à la maison.

Sur le buffet gisent deux lettres : une pour lui, de Gaspé, une pour moi, de Montréal.

— Maman vous invite. Elle s'informe de la date de mes vacances. Et vous ?

J'ai écrit pour demander conseil au sujet du voyage.

— Permission accordée.

— Bravo !

— A condition qu'une personne *fiable* soit du voyage. *Fiable* est souligné d'un gros trait de plume.

Dans le salon, oncle Sylvio a placé sur l'orthophonique notre valse favorite, *Si près de toi*. Yves me cueille dans ses bras et m'entraîne entre les fauteuils, l'air content de sa décision.

La personne *fiable* défraie la chronique deux jours durant. En fin de compte, il est décidé, un peu contre mon gré, que ma cousine Eve nous accompagnera.

Je n'ai pas d'affection particulière pour elle. Son piquant subjugue un peu trop, à mon gré, les hommes qui l'approchent. Quinze ans, et elle joue des hanches et des paupières comme une coquette. Puisqu'il n'y a qu'elle de disponible et qu'Yves s'en déclare satisfait, je m'incline.

60

La veille du départ, tante Adèle vient me porter du sucre à la crème.

— Reviens chez nous après le voyage, Rosanne. Nous t'attendrons.

— Tante, vous êtes la bonté même.

— Colette espère que tu nous pardonnes notre intransigeance. Elle veut t'embrasser.

— Où est-elle ?

— Au fond du jardin.

Nous nous jetons dans les bras l'une de l'autre, riant et pleurant.

— Rosanne !

— Tu m'en veux encore, Colette ?

— Plus autant qu'avant. J'ai pris une décision. Je te raconterai à ton retour.

— Je vais périr de curiosité en attendant.

— Péris ! Tu ne l'as pas volé.

Nous nous quittons amies. Tante me pardonne. Je pars avec Yves, et, chemin faisant, nous arrêterons chez maman, à Montréal. La vie ne pourrait pas, même en se forçant, être plus radieuse.

Et pourtant...

Je chante tout le long du voyage, indifférente en apparence aux minauderies d'une Eve déterminée à séduire Yves sous mon nez. Elle lui flanque dans la figure, à tout propos, son teint impeccable de poupée de porcelaine (rendons à César...) et ses magnifiques cheveux blonds noués haut sur la tête et libres jusqu'à la taille en queue d'alezan. Qu'elle est jolie, ses yeux bleus faussement innocents sous des sourcils bien épilés !

Nous n'avons pas roulé cent milles que j'en ai jusque-là de la petite Américaine et de son New York apprêté à toutes les sauces. Mais Yves s'amuse de son bagout. L'heureux homme a sa brune et sa blonde. Dans les restaurants où nous descendons, il récolte comme son dû, le coup d'œil d'envie des garçons auxquels Eve sourit de toutes ses dents.

A chaque arrêt, une guerre éclate : qui se saisira la première du siège central, près du chauffeur ? Eve se précipite, front baissé ;

je fais de même. Coincées dans la portière, nous gigotons du coude et de la croupe, agrippées des dix doigts au premier point d'appui jusqu'à ce que ma force et mon habileté triomphent. L'acharnement que j'y mets me remplit de honte ; pourtant, je me débats chaque fois avec l'énergie d'une rage sous-jacente.

Yves reste superbement indifférent à ces hostilités et arbore un sourire perpétuel que je troquerais volontiers pour une minute d'émotion vraie.

Les circonstances se liguent contre moi. Nous arrivons à peine chez maman, qu'elle tire de sa poche une dépêche pour le docteur.

Il la parcourt, pâlit et me la tend aussitôt. Sa sœur, blessée dans un accident, a été transportée à l'hôpital de Rimouski, où sa mère l'appelle, s'excusant auprès de moi du contretemps.

— Vous partez seul, naturellement, dit maman.

— Alors, la Gaspésie ? Finie ? boude Eve, mécontente de la tournure des événements.

— Tu permets, fais-je, quêtant la permission de rester seule avec Yves. Maman attire la beauté blonde dans la cuisine, où Simon et Fabien l'entourent.

Je vois ma maison pour la première fois avec les yeux d'un autre. Après les résidences cossues de mes tantes, elle paraît minable, malgré ses efforts de propreté. Le papier peint fané, les linoléums écornés, le plâtre jauni des plafonds me narguent de leur fatigue et de leur usure. La robe élégante de maman, les chemises blanches des garçons dissimulent mal l'évidence : notre situation de gagne-petit, de veuve et d'orphelins.

J'ai honte de ma maison. A quelles vérités me conduit ma lucidité nouvelle sur les choses et les gens ! Je les découvre tels qu'ils sont : Eve, parasite superficiel et gracieux ; le docteur, étriqué, rapetissé, désappointant ; et maman, maman que je regarde avec des yeux dessillés : sa figure lasse, ses épaules qui se voûtent de s'être trop courbées sur la marche de l'aiguille, ses paupières cernées dans des joues amaigries. Je l'aime tellement, tout à coup, que j'en oublie Yves. Elle m'a, ma très douce, tailli-taillant, cousi-cousant, acheté un mois d'insouciance. Et je m'en suis à peine rendu compte, prise par mon roman.

Yves. Que pense-t-il, derrière ce front têtu où se creusent deux rides ? Que pense-t-il, pendant que je lui indique le meilleur fauteuil du salon et que ses yeux errent d'un meuble à l'autre, notant les détails sordides ? Accablé par la nouvelle, ses plans à vau-l'eau, il dit, enfin :

— Je pars immédiatement. Essayez de ne pas m'en vouloir, Rosanne.

— Je suis désolée, Yves. C'était trop beau, sans doute.

— Et Eve, que deviendra-t-elle ?

Comme il se préoccupe d'elle !

— Elle habitera ici. Vous nous reprendrez à votre retour.

Yves parti, je guette le facteur, comme sœur Anne du haut de sa tour. Avec la même persévérance et le même soleil qui poudroie et le même bitume qui grisoie. Je reçois enfin la lettre tant attendue. Trois phrases. Sa sœur se rétablit. Sa mère et lui rentrent à Gaspé. Il a plu. Amicalement. Yves R.

Je me suis leurrée sur ses sentiments. On n'écrit pas ainsi à une femme qu'on aime. Je me ronge les sangs à chercher la raison de sa volte-face ; mais rien n'altère ma décision première : je retourne à Ville-Marie. Quoi qu'il m'en coûte.

Ses quinze jours écoulés, Yves débarque à l'improviste par une fin d'après-midi écrasante de chaleur. Je reviens de chez le coiffeur, la robe fatiguée, les cheveux boudinés jusqu'au cuir par une permanente ratée. Eve sort d'un de ces bains parfumés dont elle a le secret, la peau fraîche comme une fleur. Elle lui saute au cou et l'embrasse avec fougue, sur les lèvres.

Il prolonge la caresse quand il m'aperçoit, derrière lui, dans l'escalier tournant. Il se dégage des tentacules roses.

— Bonjour Rosanne.

L'os qu'on jette au chien. Bonjour, Rosanne. Sec. Net. Trente sous zéro. J'en frissonne ! A cent à l'ombre !

— Je repars demain, dit-il. Qui vient ?

— Moi, moi, piaffe l'alezane, hennissant de plaisir.

— Moi aussi, dis-je, d'une voix qui ne tremble pas.

Les tentatives de maman pour me garder aboutissent à ce cul-de-sac. Je lutterai pied à pied pour défendre mon bonheur.

Pauvre maman ! Ses bons yeux tristes, qu'elle force à sourire, sa main levée pour prolonger l'adieu, je les revois longtemps, les appelle en mordant mon oreiller par les soirs qui suivent.

— Votre mère semble accablée par cette chaleur, décrète Yves, de son ton de clinicien. Prenez-en soin, Rosanne ; on la sent au bord de la dépression. Cette tâche trop lourde la tue. Elle a besoin de votre affection, de votre aide physique aussi.

Il me blâme d'avoir quitté maman. Son devoir de médecin accompli, il cherche, par-dessus ma nuque, les yeux d'Eve. A la première escale, il la tire par le poignet, reprenant les mots d'autrefois :

— Montez d'abord, Eve. Venez près de moi.

Oh ! Colette, tu es bien vengée. « Profite de ta victoire, Eve, me dis-je, la regardant se frôler à lui ; elle sera aussi éphémère qu'éblouissante. »

Ce voyage de retour, quel fiasco ! La pluie tombe à torrents ; Yves souffre de son urticaire, Eve lui ayant fait ingurgiter une pointe de tarte aux fraises. Fini, mon beau roman. Plus jamais il ne dira : « Mon enfant chérie » ; plus jamais sa main ne cherchera ma main, ses lèvres, mes lèvres. J'ai été folle de revenir. Tassée contre la portière où l'averse flique-flaque sans relâche, je suis, si longtemps que j'en crois mourir, la plus misérable des créatures humaines.

De sa voix de fausset, Eve entame un refrain à la mode.

— Pour qui chantez-vous, Eve ? demande-t-il.

— Pour vous, doc de mon cœur, susurre la rouée.

Comme elle le tient bien, au creux de ses mains dures ! Ah ! qu'elle le prenne à son jeu ! Qu'il souffre par elle comme nous avons souffert par lui, Colette et moi !

Je comprends maintenant la révolte de ma petite sœur d'été. Jamais elle ne m'a été si chère. C'est vers elle que je cours porter ma détresse. A elle, j'ose dire ce que je refuse encore de m'avouer :

— Colette ! Il ne m'aime plus.

Et elle, tendre, apitoyée, mais une ébauche de sourire sur sa jeune bouche :

— Mon pauvre chou ! Je le savais.

8

Je rentre au pays Gros-Jean comme devant. New York a cassé les reins à Montréal. Sans doute qu'à la Noël venue, Paris mettra New York hors de combat et que, l'année d'après, la petite école du troisième rang damera le pion à la Ville Lumière ! Ça ne m'enlève quand même pas ma peine.

Grand-maman s'acharne à me convaincre que cette expérience douloureuse m'achemine vers la maturité.

— Regarde la réalité en face, dit-elle, quand je vais pleurer dans ses jupes. En aimant notre petit docteur inconstant, c'est toi que tu aimes.

— Grand-maman !

— Il représente ta conception du bonheur.

— Je vous assure que c'est du concret, du solide. Pas une minute je ne pense à moi.

— Pas consciemment... Je le sais. Et tu es sincère. Autrement, tu n'aurais pas cette pauvre figure de rien du tout. Tu es trop jeune, aussi. A-t-on idée...

Grand-maman s'arrête court, confuse un peu, parce qu'elle se rappelle son mariage à seize ans, et repart de plus belle :

— Si votre roman se terminait par une noce, tu apprendrais, toute seule, à supporter la joie. La peine, c'est plus difficile. Allez donc comprendre, à seize ans, la nécessité de la souffrance pour tremper le caractère !

— Le mien est trempé, grand-maman, jusqu'aux os ! Tout était merveilleux. Et puis, crac ! plus rien. Je prie, pourtant. Je supplie Dieu pour qu'il me le donne, cet homme. Sans succès. Il n'écoute même pas.

— Tu boudes le Seigneur, mais tu as ta place dans ses desseins, comme ta maman, comme moi. Crois-tu que ç'a été facile quand j'ai perdu mes enfants ? Crois-tu que ç'a été facile pour ta mère, quand ton père est mort ? Pourtant, nous avons réappris à sourire. Tu oublieras, toi aussi.

— Ce serait plus facile s'il était mort.

— Ton orgueil blessé t'inspire des sottises.

Elle parle droit, grand-maman. Ulcérée par sa franchise, je me saisis de sa bible. Dans la plainte de Job, je puise les mots capables de traduire ma détresse :

Mon bonheur a passé comme un nuage,
le mal qui me ronge ne dort pas ;
j'espérais la lumière, et les ténèbres sont venues ;
je marche dans le deuil, sans soleil...

Grand-maman hoche la tête, à la recherche d'arguments plus solides.

— Quand je te narre nos misères de pionniers, dit-elle, je te cache le plus dur. Songe, Rosanne, que j'ai donné le jour à des enfants, au fond de cette brousse. Sans médecin pour m'assister.

— C'était pénible ?

— Je ne parle pas de la souffrance physique. Le pire, c'est la répugnance que m'inspirait ma sage-femme, un vieil Indien taciturne aux mains noueuses. L'enfant naissait, beau, vigoureux. L'Indien le déposait avec révérence sur le lit, près de moi, et il me souriait de sa bouche édentée : « Toi brave ! toi forte ! toi acheter bonheur pour ton *papoose*! »

Elle ramasse la courtepointe, la jette sur ses épaules et pique sa plume d'oie dans son chignon. Avec une mimique irrésistible, elle affirme :

— Rosanne, toi brave ! toi forte ! toi acheter bonheur futur *wigwag* !

Je ris malgré moi, et elle redevient sérieuse.

— Un jour, un homme viendra que tu aimeras vraiment, que tu aimeras pour lui-même et non pour toi, comme celui-ci qui n'en vaut pas la peine et qui te déçoit. Alors, tu n'auras que faire des radotages de ta vieille grand-maman. L'amour, le vrai, tu le vivras.

Avant de me congédier, elle me glisse un dollar dans la poche, « pour une petite folie ». Je sors de chez elle rassérénée. Je hume à longs traits l'air du lac. Et puis, patatras ! J'aperçois Yves au loin, promenant Eve dans sa voiture, et c'en est fait pour un autre jour des belles résolutions. J'erre comme une âme en peine le long de la rue Principale. Il y a son cabinet de consultation, à côté du bureau de poste, face au magasin général d'oncle René. Le cher homme doit se demander quelle mouche me pique. Je suis toujours rendue chez lui prétextant des commissions, ou ma fringale (très réelle) de l'odeur indéfinissable de son arrière-boutique, avec son huile à lampe, son pétrole et sa naphtaline. Dissimulée derrière les étalages, je guette à travers la vitrine, les allées et venues d'Yves. S'il traverse au bureau de poste, je m'y précipite. J'entre sur ses talons et je lis les journaux locaux, retranchée derrière les pages dépliées. Il tente de me saluer ; je le regarde à travers son veston. Je cause gaiement avec les habitués ; puis, je passe, le repoussant de l'épaule pour qu'il s'ôte de mon soleil.

Colette rit de se retrouver dans mes agissements.

— Vois-tu, mon chou, dit-elle, quand j'ai rencontré Yves avec notre suave cousine, la veille de votre départ pour Montréal, j'ai passé l'éponge sur ta conduite et je me suis juré de te tirer du marasme par la peau du cou.

Je veux bien, moi, qu'on me repêche. Mais ça ne va pas sans mal. Et puis, un jour, il se produit une manière de miracle. La nature, coupable d'avoir paré de sa magie un roman de quatre sous, se penche vers sa petite amie blessée. Nous cueillons des bleuets au flanc de la montagne. Le joyeux bataillon de salopettes et de chapeaux de paille se disperse au hasard des *talles*, et je reste seule sur le promontoire dominant la vallée. Le lac brille tout en bas, et lèche patiemment un pan de falaise. Je m'allonge à l'ombre d'un buisson, les bras repliés sous la nuque, et je contemple le ciel tranquille que des nuages de nacre coupent en portions capricieuses. Le vent, poivré de pin, joue dans mes cheveux. Un chardonneret frôle mon buisson. Rassuré par mon immobilité, il s'y perche, ses yeux ronds fixés sans crainte sur les miens. Et il chante, à plein gosier, l'ivresse de vivre et d'être libre.

Mon amertume tombe de mes épaules comme un vêtement inutile, et je redescends, légère, en paix avec le monde, attaquant, à la suite de Colette, la rengaine de l'heure :

Be sure it's true, when you say I love you
It's a sin to tell a lie

Attrape, beau docteur ! Nous te fuirons toutes les deux pour ne plus revoir ton trop doux visage. Je rentre chez maman, dont je me languis ; et Colette, son projet ratifié par tante Adèle, s'inscrit étudiante-infirmière à l'hôpital Sainte-Justine. Yves a cru courtiser des petites filles ; il a fait de nous des femmes ; mais ce n'est pas lui qui bénéficiera de cette maturité.

Il s'achève, l'été enchanté. Le dernier matin d'août, j'arpente la rue que j'aime tant, disant adieu à chaque maison, à chaque haie, au lac. L'émouvante beauté du décor m'arrache encore, par à-coups, des cris de révolte. Mes yeux se posent sur les choses et les voient mal, brouillées par les larmes. J'ai perdu mon amour. La belle affaire ! Il en viendra d'autres. Pourtant, quand la V-8 passe, Eve au volant, en route vers le Petit Lac, mon cœur a mal encore. Je vois la figure d'Yves se détourner pour fuir mon regard et je suis longtemps la nuée de poussière qui poursuit la voiture. Absorbée, je n'entends pas l'homme qui m'interpelle, de la portière d'une auto.

— Mademoiselle... Eh ! Mademoiselle dans la lune !

Il rit d'un grand rire jovial auquel un autre homme à cheveux blancs fait chorus.

— Vous étiez loin...

Ils me taquinent, et je réponds spontanément à leur sourire.

— Nous cherchons le chemin du Petit Lac pour y camper. C'est par là ?

— Oui, tout droit.

— Merci, belle enfant !

Le jeune homme fait mine d'enlever, pour saluer, une coiffure inexistante. Il a de beaux cheveux blonds et, dans son visage bronzé, des yeux si bleus qu'on y revient malgré soi pour en vérifier la couleur.

— Vous voulez bien nous y conduire ? supplie-t-il, en sortant poliment de son véhicule.

La main tendue, il se présente.

— Je m'appelle David Saint-Germain, et voici mon père. Nous sommes de Montréal, en route vers l'Abitibi.

— Allons, David, fait son père, nous retenons mademoiselle.

Le jeune homme esquisse une grimace comique ; il reprend place au volant et, penché vers moi :

— Au moins, dites-moi votre nom. Une si jolie fille... On croit rêver. Vous existez... pour vrai ?

La sincérité de son admiration me fait si chaud au cœur que je me mets à rire comme autrefois, sans un souci en poche.

— Nous nous rencontrerons peut-être, David, dis-je en croisant ses yeux bleus. J'habite Montréal, moi aussi.

— Votre nom, je vous prie.

— Rosanne.

— J'espère vous revoir un jour, Rosanne.

— Moi aussi, David, je l'espère, dis-je, sincère.

Mais, sitôt rentrée à Montréal, j'oublie David et il en fait autant. Maman, elle, ne m'a pas oubliée. Elle me reçoit avec une joie évidente, quand oncle Henri me ramène au bercail. Elle me presse contre elle avec tant d'impétuosité que le dessin de sa broche s'incruste dans mon bras replié.

— Rosanne ! Enfin toi !

Le masque tombe de mon visage devant ses yeux tendres. Nous versons, toutes deux, quelques pleurs dans les bras l'une de l'autre. L'oncle y coupe court. Lâchant sacs et porte-manteaux, il prend maman sous les coudes, la hisse à sa hauteur, lui applique un baiser sonore sur chaque joue et la dépose hors de sa route, libérant du même coup vestibule et corridor. Puis, regrimpant son chargement sur ses épaules, il pénètre dans notre maison avec la tranquille assurance d'un homme qui s'y sent le bienvenu.

La douceur amère de ce retour ! Je me suis juré d'être raisonnable, de tourner la page, d'oublier ; mais allez donc discipliner vos sentiments quand la mémoire ressuscite le souvenir de l'être aimé embrassant une autre femme dans ce même décor ! Un invisible bistouri pénètre les chairs. Il touche un nerf à vif. Les mains, d'elles-mêmes, se portent à la source du mal, sur la poitrine, à gauche.

Ce mal du mal d'amour ! Il m'a reprise dans son étau, et la robuste Rosanne dorée de soleil s'abandonne, déchirée, dans les bras de sa mère.

C'est bon, contre elle. Je prolongerais volontiers l'expérience, mais tante Adèle et mes trois cousines arrivent à leur tour, Marilou et Henriette chargées comme des contrebandiers, Colette loin derrière.

Elle s'attarde à caresser un grand fainéant de chat affalé sur la dernière marche d'escalier, et qui ne bougerait pas pour trois pigeons.

— Pauvre Minou, dit-elle, attendrie par la solitude de l'animal. Toi non plus, personne ne t'aime ?

Levé d'un bond, le gros chat gras l'escorte, dos houleux, queue en périscope ; son ronron roule comme un joyeux tonnerre sous le poil tigré. Colette rit, empêtrée dans ses colis par les effusions de sa conquête.

— Hou ! qu'il est laid ! fait Marilou, en repoussant du talon l'audacieux qui frôle ses bas neufs.

— Attention, Minou ! prévient Colette. Vieille fille méchante. Mange du civet de chat le dimanche. Regarde ses yeux. Ils sont comme les tiens : glauques.

Marilou ne goûte pas la plaisanterie. Elle va se formaliser quand elle se ravise. Après tout, c'est peut-être un compliment. Elle possède des yeux extraordinaires : pâles, translucides, que je lui envie, moi, la fille aux banales noisettes à dix sous la douzaine.

Dans le doute, elle déclare à voix pointue que Colette se trompe de vocation : la médecine vétérinaire lui siérait mieux que le nursing.

Car Colette entre le lendemain en stage d'études à Sainte-Justine. Quelques heures, et elle dira adieu à ses parents-poule et à sa liberté. Il faut voir comme elle se raccroche au monde extérieur, hommes et bêtes. Sa pitié pour le matou mité traduit son appréhension mieux que des mots.

A la faveur de l'excitation, Gros chat gras insinue dans le corridor papattes, poitrail et arrière-train.

70

— Dehors, sale bête ! fait maman.

— Plus vite que ça ! ajoute ma tante.

— Le pauvre ! soupire Colette. Il me rappelle mon vieux Tempête.

Quelque chose dans le ton, la façon dont sa voix s'est/enrouée, me font pivoter sur moi-même et m'agenouiller près d'elle.

— Colette ! Tu as peur ? Tu regrettes ta décision ?

— Non, proteste-t-elle, laissant échapper sa proie que la meute humaine se met à pourchasser. C'est passé. Une angoisse, tu comprends. Comme quand on entreprend une chose difficile. J'ai dit que je serais infirmière, je le serai.

Sans l'avouer, je l'admire éperdument.

— Allons, les filles, appelle maman, de la cuisine. Venez donner un coup de main, qu'on s'installe pour la nuit.

Les premiers lundis de septembre, la maison ressemble à un caravansérail. Maman accueille de bon cœur les Vadeboncœur. Le problème, c'est de les caser.

— Voyons voir. Les garçons (mes deux jeunes frères) cèdent leur chambre à Henri et Adèle. Marilou et Henriette partagent le lit double ; Colette et Rosanne, le divan du salon.

Les coussins sont semés en rang d'oignons sur le linoléum pour former la couche de mes frères.

Colette et moi nous retrouvons, dans le noir de la nuit, avec des corps qu'on ne voit plus, et des âmes prêtes à se raconter d'alpha jusqu'à oméga. L'obscurité aidant, on ose des confidences qui vont plus loin, dans le secret de l'être ; essayant de disséquer l'autre, on en vient à se scruter soi-même avec lucidité.

Nous arrivons au carrefour ; deux filles de bientôt dix-sept ans qui se dépouilleront, demain, du vêtement d'insouciance devenu trop étroit pour leurs nouvelles dimensions intérieures.

— Tu crois que nous aimerons être adultes ? chuchote Colette. Ce soir, ça me laisse aussi froide qu'une banquise du Labrador.

— Moi aussi, figure-toi. Pourtant, je ne veux pas revenir en arrière. Trop de choses se sont passées pour que je redevienne la Rosanne du printemps dernier.

— C'est lourd à porter, un été.

Elle veut me parler d'Yves. Il ne faut pas. Ce soir, surtout, il ne faut pas. La plaie s'ouvre, béante, et mes forces vives coulent par là, inutilement.

— Tu penses à Yves, toi, dit Colette.

— Tant qu'il ne sera pas marié, je continuerai d'espérer qu'il me revienne. Tu ne peux pas comprendre, tu ne l'as pas aimé autant que moi...

Elle hausse les épaules, sous la couverture.

— Qu'en sais-tu ? Et puis zut ! Je ne vois pas où serait la gloire, puisqu'il nous a déçues à tour de rôle.

Il me semble tout à coup indispensable d'obtenir l'assurance de son pardon.

— Jure que tu ne m'en veux plus, dis-je timidement.

— Oui, oui, n'en parlons plus, fait-elle. Mais ne t'avise pas de me rejouer ce sale tour.

— D'accord. A toi de me souffler un Montréalais.

— Tu le mériterais.

Elle se cale plus avant, ce qui fait dégringoler l'oreiller commun que je lui lance à la figure et qu'elle me retourne tout de go.

Que notre rire étouffé sonne jeune ; qu'il fait bon d'oublier à deux les complications sentimentales et les déceptions d'amour !

Le désordre réparé, tout retombe dans le calme. Après le silence des nuits de village, le tumulte confus des machines et des hommes me rappelle que nous sommes en ville. Le tram racle les rails en tournant le coin de la rue ; les autos roulent avec un chuintement doux, klaxonnant à l'intersection ; la radio du voisin diffuse une musique martiale à travers le mur. Le cœur de Montréal bat à son rythme habituel. Et le mien, timidement, lui fait un brin de conduite.

9

Qu'a-t-il déclaré, Yves, en me ramenant chez mon oncle, après la tentative avortée de rencontre entre sa famille et moi, et son arrêt dans nos murs ? Sa phrase me revient brutale, vraie. « Votre mère travaille trop ; on la sent à la merci d'une dépression. »

Je regarde maman s'affairer autour de la table du déjeuner. Dans la lumière du matin, je remarque les cernes sous les yeux, l'amaigrissement des joues que le saillant des pommettes accuse, l'ampleur de la robe qui n'épouse plus les formes aussi étroitement que le printemps dernier.

L'espace d'un éclair, mes disponibilités de tendresse à la rescousse, j'accepte les conséquences, désastreuses pour l'aînée, d'une défaillance physique de la mère, et je reconnais, *in petto*, « Oui, Yves, vous avez raison : elle a besoin de moi. » Puis je chasse de mon esprit ces cônes d'ombre. Il fait beau ; maman rit en lissant de force les houppes de mes frères qui regagnent l'école dans un moment ; elle plaisante avec oncle Henri et Colette, déjà debout, en prévision de l'entrée à Sainte-Justine. Cela m'autorise à chasser les spectres pour m'accrocher aux apparences.

— Vous avez maigri, ma chère, constate oncle Henri, attentif, comme moi, aux évolutions de maman.

Elle cambre sa petite taille, pendant que Fabien et Simon, fidèles à leurs habitudes, dénouent, par derrière, les cordons de son tablier.

— Mais non, quelle idée ! Ce sont mes gars qui ont *profité*. Auprès d'eux, j'ai l'air d'une côtelette dégarnie.

Cherchant le regard qu'elle dérobe, je demande :

— Jure-moi que tu vas bien. Croix sur le cœur.
Elle rit :
— Je le jure sur ma tête.
— Si tu te sentais malade, tu me le dirais, pas vrai ?
— Ma parole ! C'est une inquisition. Je me porte à merveille.
Le dollar canadien et moi, nous avons du muscle.

Elle bombe sur son bras une minuscule excroissance, et c'est
en rigolant que les garçons reprennent le chemin de l'école, ce
premier mardi de septembre 1935. Eux partis, maman redevient
sérieuse. Il faut discuter de mon avenir.

Tournée vers l'oncle, elle explique ses plans. Je prête une
oreille distraite aux mots qui volent dans le soleil... « Service
social... Institut du Bon-Conseil... Nouvelle carrière féminine... »

Les sons bruissent sans que je m'arrête à leur signification.

— Que pense Rosanne de ce projet ? interroge oncle Henri.
— Rosanne ? Elle s'y fera, dit maman. C'est l'unique solution.
— Mais les études classiques, le baccalauréat ?
— Je ne peux pas. Nous végétons avec le peu que je gagne.
L'université coûte trop cher. Mes enfants n'iront pas. Qu'ils en
prennent leur parti. Pour une fille, au fond, quelle importance ?

Quelle importance, je vous le demande ! Au fourneau, les
filles ! Dans notre « monde d'hommes », les garçons bénéficient
encore des prérogatives. Pas de latin ni de grec pour la fille de ma
mère. Le service social ne m'emballe pas outre mesure : le nom, la
chose me laissent indifférente. Et pour cause. J'ignore tout de cette
discipline où « l'homme prend souci de l'état d'un autre homme,
pour le mieux secourir ». Reste à découvrir si je suis « l'homme »
qu'il faut et si je réponds aux exigences de l'admission.

Je ne vais pas tarder à l'apprendre. Nous avons rendez-vous
l'après-midi même avec la mère Supérieure.

Colette part pour l'hôpital à la fin de la matinée. Nous refer-
mons les portières de l'auto et celles de la vie sur ma petite sœur
d'été. Chacun se prête de bonne grâce à ses accolades, même Gros
chat gras, revenu l'attendre, musique au ventre, sur « sa » marche
d'escalier.

A la dernière seconde, Colette m'enlace avec une telle fougue
qu'elle me fait mal. J'entends encore mon cri de protestation :

— Oh ! Colette, mon bras !

Et sa voix navrée :

— Rosanne chérie ! pardonne-moi. Je suis si maladroite. Trop impulsive, aussi. Qu'as-tu ? Tu es toute blanche.

Une douleur me torture l'avant-bras. De ma main gauche, je presse le membre endolori, et, ce faisant, je me rends compte que ce geste, depuis quelque temps, m'est devenu habituel. Trente fois le jour, je pose mes doigts joints à cet endroit précis, entre le coude et l'épaule, là où le modelé du bras se creuse sous la saillie charnue. Il y a là un tiraillement, une imperceptible différence d'avec l'autre bras, dont je ne me soucie que pour le laver ou en polir les ongles.

Colette tâte l'os, sous la peau. Elle déclare :

— Je ne sens rien.

— Ce n'est pas ta faute. J'ai disputé trop de matchs de tennis, cet été. Tu vois, pas même une ecchymose.

Elle continue de glisser les doigts le long de l'humérus, et, tout à coup, elle s'exclame :

— Pas d'erreur, tu as une masse dure, de la grosseur d'un œuf, on dirait, qui joue sur l'os. Je n'ai pas ça, moi.

Elle vérifie, sous son manteau. Marilou et Henriette l'imitent, constatant qu'elles non plus, non, vraiment, ne possèdent aucune glande à cet endroit. La famille entière se palpe les biceps puis pétrit les miens. J'embrasse Colette en la refoulant vers l'auto.

— File ! Tu te mets en retard.

De loin, par la fenêtre ouverte, elle m'ordonne :

— Tu viendras te faire soigner par moi, à mon hôpital.

Je réponds, du tac au tac :

— Pas de danger, je tiens à la vie.

Sur de grands signes d'amitié, elle tourne le coin. Bientôt, elle nettoiera des plaies, veillera des moribonds. Ma Colette de luxe.

Je remonte, songeuse, suivie par Gros chat gras, qui m'offre sans pudeur les réserves de son affection. A moi d'imiter Colette.

Je me le répète pendant que nous marchons, maman et moi, le long d'un boulevard Saint-Joseph endormi dans son embourgeoisement. Cette artère sert de repoussoir à nos rues besogneuses, avec son mail gazonné, ses dorures et ses façades cossues.

Cher boulevard de ma jeunesse ! Que j'aime ta curieuse dignité de vieille coquette ! Peut-être, au fond, n'es-tu pas aussi esthétique que je t'imagine, mais ton terre-plein, tes réverbères, ton fer forgé incarnent à mes yeux facilement éblouis le symbole de l'aisance dont je rêve. Ce n'est jamais sans un pincement de jalousie et un intime désir d'être prise par les rares passants pour une aristocrate du quartier que je t'arpente ; d'un côté, puis de l'autre, entre les rues Saint-Denis et de Lorimier.

— Rosanne ! Tu ne m'écoutes pas, gronde maman.

— Si, si ! Tu disais ?

— Que les mots ont trahi ma pensée, tout à l'heure. Je ne m'élève pas contre les études supérieures pour les filles ; au contraire.

— On ne le croirait pas, je t'assure.

— Ce que j'en ai dit, c'est à cause de ton oncle. Il nous a trop aidés pour que nous abusions de ses largesses. Après l'institut, tu peux obtenir tes diplômes en service social ou en diététique à l'université, si tu veux. Pour l'argent, je m'arrangerai. Les trois premières années, ça ira. Les dépenses sont minimes, chez les Sœurs. Et, c'est à deux pas.

Maman défend ses positions comme si je les attaquais. A moins qu'elle ne tente, chemin faisant, de se convaincre elle-même du bien-fondé de sa décision.

— Nous y voilà ! déclare-t-elle, en m'entraînant vers le modeste édifice de brique rouge construit en retrait du boulevard, et devant lequel je suis passée vingt fois sans le voir. Pendant que je gravis l'escalier, s'ouvre, dans l'été vieillissant, une nouvelle étape de ma vie.

— Voilà donc notre grande élève ! dit, derrière nous, une voix aux inflexions chaudes, pleine de vigueur et de soleil.

La mère Supérieure pénètre dans la pièce, suivie, à distance, par une fine silhouette qui s'approche au premier appel.

Nous nous levons. Elle nous invite à nous asseoir et explique :

— Sœur Marcelle dirige les cours. Je m'en remets à elle.

Maman tend la main à la petite sœur dont les yeux lavande s'animent une seconde avant de se tapir sous des paupières retombées comme un rideau.

Je pense : « Pourquoi une femme aussi jolie que celle-ci se consacre-t-elle à la vie religieuse ? A la côtoyer, je percerai son mystère. »

Je reprends pied dans la conversation juste au bon moment.

— Et alors, Rosanne ? interroge maman.

— J'accepte, dis-je, croisant des yeux bleus qui me scrutent en catimini. Je commencerai quand il faudra.

— Demain, proposent ensemble la mère Supérieure et sœur Marcelle.

Le sort en est jeté. Dès le lendemain, je m'achemine avec bonne volonté vers le couvent de brique rouge.

Oncle Henri, tante Adèle, Marilou et Henriette s'en sont retournés à leur quiétude villageoise, après un bref séjour dans la métropole.

De Colette, pas la moindre nouvelle. Maman reprend sa couture avec une diligence de fourmi qui prépare son hiver. Ses clientes la harcèlent, braves femmes vertueusement ignorantes du surmenage qu'elles exigent contre trois dollars de façon.

Pendant ce temps, on m'initie à trente-six disciplines difficiles à transposer dans le quotidien. Nous ne sommes que quelques élèves, mais on ne néglige rien pour faire de nous des travailleuses sociales dépareillées.

La deuxième semaine à peine entamée, je rue déjà dans les brancards :

— C'est trop ; vous nous esquintez, sœur Marcelle.

Son nom est doux, mais sa poigne est de fer. Son attelage, elle le mène au doigt.

— Vous allez nous tuer à la tâche, oh ! la la, se lamente Natalie Jalbert, ma compagne de timon.

A quoi sœur Marcelle rétorque, sans s'émouvoir :

— Allons, du cran, mesdemoiselles ! Le monde a besoin de vous.

Suant et soufflant, Natalie et moi échangeons force soupirs.

— Oh ! la la, piaule-t-elle, vingt fois le jour. Heureusement qu'il nous reste la machine à écrire pour nous défouler.

— Oh ! la la, oui. (Ça s'attrape, cette contagion de l'interjection. Tout le petit couvent en est oh ! la la, contaminé.)

Je partage son opinion. La facette « secrétariat » me plaît plus que l'autre, la théorique, l'abstraite. Taper, le diable au corps, vite, encore plus vite, sur des touches dociles ; aligner des hiéroglyphes sténographiques, ça m'enchante. Pas d'effort intellectuel, rien qu'un dressage tactile où la répétition des gestes crée la compétence. Je me donne à ma frappe avec un tel entrain que mon bras droit s'en ressent. Toujours ce tiraillement, ce poids insolite ! A qui parler de mon angoisse, sinon à Natalie, **cette** curieuse qui m'a déclaré, le premier jour :

— Tu me plais, Fontaine. Tu as une bonne tête. Si tu veux, on deviendra des amies.

Près d'elle, les autres élèves perdent tout relief ; pourtant, l'institut se targue de recevoir la crème de la société, et compte même deux ou trois débutantes que la mère Supérieure a attirées à certains cours spéciaux.

Natalie habite ma mecque, le boulevard Saint-Joseph. Mais comme elle s'habille au décrochez-moi-ça et ne se vante jamais, j'apprends par hasard que son père dirige un réseau d'épiceries, et qu'elle-même a hérité d'une jolie fortune à la mort de sa mère.

Un paradoxe vivant, cette fille. Elle ressemble à une sylphide, avec sa taille fluette et ses longs cheveux de lin, mais elle tient en réserve, dans ce corps de porcelaine, des déchaînements de joie physique qui la font gambader à perdre haleine comme un chevreau dans le soleil.

Nous échangeons les confidences comme des timbres rares. Je lui conte Yves : mais elle ne comprend pas la profondeur de ma peine, qu'elle a balayée de la main en affirmant :

— Un clou chasse l'autre, Rosanne. Montréal regorge de beaux mâles capables d'éclipser ton esculape champêtre. Tu en auras bientôt une dizaine à tes trousses. Ce sera un dollar pour la bonne aventure.

Comme j'ébauche le geste de tirer mon sac, elle saisit mon bras.

— Montre. A mon sens, ce bobo prime l'autre. Il faut montrer ça au médecin. Tu as une bosse, là.

Chez les Jalbert, malaise égale médecin, comme deux et deux, quatre. Pas chez nous.

— Ça coûte cher. Maman s'en rendra malade. Et où puis-je aller ?

— Chez votre médecin de famille, voyons.

— Il a pris sa retraite et nous ne l'avons pas remplacé.

Natalie réfléchit, le nez froncé.

— Mon cousin est médecin. Il s'occupe d'analyses de laboratoire, mais il pratique aussi la médecine générale. Je lui demande une consultation pour toi. Ainsi, tu sauras à quoi t'en tenir. Si Philippe constate que tu n'as rien, la vie est belle.

— Et si, par contre, il...

— Eh ! bien, tu feras face à la musique.

On convient donc du lendemain soir pour le rendez-vous. Natalie m'accompagnera ; mais il est dit que je ne rencontrerai pas le cousin dans le décor banal de son cabinet. Comme je m'apprête à joindre Natalie, le téléphone sonne. C'est sœur Marcelle, pressée, pressante.

— J'ai besoin de vous, Rosanne. Une famille du quartier se meurt de faim, et personne d'ici n'est libre, ce soir. Dressez l'histoire du cas, Natalie et vous, puis communiquez avec moi.

J'essaie de placer un mot :

— Mais, ma sœur, je ne peux pas.

Elle n'écoute rien. Malgré mes objections, elle dicte l'adresse et prodigue moult conseils. A la fin, irritée de ma résistance, elle sort de ses gonds.

— Etes-vous, oui ou non, étudiante en service social, Mlle Fontaine ?

Sa voix coupe, aiguisée à mesure sur ses dents.

— Oui, ma sœur ; mais j'ai un rendez-vous...

— Cassez-le.

Remettre cette consultation ? Jamais je ne retrouverai le cran d'en solliciter une autre. Cette prolifération sur mon bras droit, agaçante, douloureuse, il faut que j'en sache la nature.

Elle se radoucit.

— Je vous en prie ! Apportez des vivres. Ils sont dix, à la maison. Ils n'ont pas mangé depuis deux jours. Un père parti on ne sait où. Une mère malade. Une grand-mère qui n'a plus toute sa tête.

— Ma sœur !

— Je compte sur vous. Ce soir, la charité aura votre visage.

Quel pouvoir elle détient, cette pâle religieuse ! Une phrase, et elle accroche mon scalp à sa ceinture. Je capitule.

— Entendu, j'y vais.

Natalie se charge de prévenir son cousin. Nous partons dans le soir mauve, ployant sous les victuailles obtenues des parents et des amis. Je porte, au départ, une robe propre et mon âme ordinaire. Des siècles plus tard, quand j'émerge de la masure fichée toute de guingois sur la terre battue, au fond d'une cour, ma jupe s'étoile de taches, et mon âme bat la breloque. Un tel dénuement existe à deux rues de chez moi ! Et j'ose me plaindre ?

Rien sur la table, rien dans les armoires : pas une pomme de terre ; seulement une poignée de haricots secs au fond d'une marmite.

— Nous n'avons plus de charbon pour le poêle, explique la grand-mère à Natalie qui dirige les opérations tambour battant, aussi à l'aise dans ce rôle d'ange tutélaire qu'un vison dans... son vison.

Moi, je reste bras ballants, près de la porte, à m'emplir la mémoire du tableau. La femme recroquevillée sur son grabat ; le long du corridor, à ras de parquet, l'enfilade des matelas râpés ; sur le crépi des murs, les ombres créées par une ampoule qui balance sa mauvaise lumière au bout du fil. Un détail achève de me bouleverser : tous les pieds sont nus dans de vieilles chaussures, et ces chaussures... n'ont pas de lacets.

Natalie me prend aux épaules et me secoue.

— Grouille un peu. Tu as le fromage et le beurre dans ton sac. La salade de saumon aussi. Aide-moi. Les enfants ont faim.

— Ça va, j'arrive, dis-je, joignant le geste à la parole.

Une douceur inconnue m'inonde. Je suis utile. Je sers. Comme Colette, ma sœur d'été, à son hôpital, comme sœur Marcelle, comme maman devant sa machine à coudre.

Natalie questionne sans relâche. Et oh ! la la par-ci, oh ! la la par-là... Toute la famille subit son charme. A quoi pense-t-elle, Natalie, en s'approchant de la créature brûlée de fièvre qui l'appelle d'un geste las ? A la fiche Beauchemin ou à sa vocation

80

Blottie contre lui...

personnelle ? Elle sourit, sereine. Moi, j'ai compassion ; elle, tendresse. La meilleure part, en somme.

Après avoir touché le front de la malade, ma camarade se précipite vers moi.

— Cours au premier appareil, et téléphone à Philippe.

Elle griffonne des chiffres sur un papier.

— Cette femme est au plus mal. Qu'il vienne tout de suite.

De loin, je m'informe :

— Il s'appelle comment, ton cousin ?

— Philippe, voyons, tu le sais.

— Philippe qui ?

— Grégoire, Philippe Grégoire.

Un beau nom, solide et harmonieux. Et, au bout du fil, un timbre chaud, une voix cordiale, relevée d'un brin d'ironie, une voix qui me plaît aussitôt.

— Mlle Fontaine ? questionne-t-il. Fontaine... de Jouvence, je présume. Fontaine qui ne veut pas qu'on boive de son eau, et qui boude les rendez-vous honnêtes.

Je n'essaie pas de me hisser au diapason. D'habitude, je ne manque pas d'esprit de repartie ; mais je porte encore, sous mes paupières, le spectacle du bouge et, dans mes vêtements, son odeur.

Le docteur perçoit l'urgence de l'affaire et promet tout ce qu'on veut. Malgré moi, la minute d'ensuite, je me surprends à l'attendre. Le plumage ressemblera-t-il au ramage ?

Pendant ce temps, bramant haut parce qu'elle est sourde, la grand-mère nous raconte les étapes de leur malheur. C'est une histoire banale à pleurer, qui vous choque par son absurdité. « Pas possible, ils l'ont fait exprès ! » pensez-vous, irrité de tant d'inconséquence.

Ils ont vécu heureux à Bécancour, les Trefflé Beauchemin. Les enfants poussaient dru comme la luzerne.

Confiants en leur étoile, naïfs, fols, ils ont pris la route de « leur » Ville Lumière : Montréal.

Hélas ! le chômage sévit. Pas de travail pour Trefflé, sauf de menues besognes occasionnelles. Sa femme fait « des ménages », et s'épuise à la tâche. Les enfants s'étiolent. Viennent la gêne, puis la famine.

Comble d'infortune, un propriétaire qui parle de saisie, et, un soir d'automne, un homme qui ne rentre pas, une femme qui s'alite, avouant ainsi une défaite contre laquelle elle a lutté jusqu'aux limites de sa résistance.

Natalie peste contre le proprio.

— Ce monstre, ce brigand !

La voix monocorde de la mère s'élève du fond de la pièce.

— Faut pas juger. On sait pas c'qu'on aurait fait, à sa place.

Comme il faut absolument un bouc émissaire à ma bouillante camarade, elle s'en prend au mari :

— Un drôle d'homme, votre Trefflé, madame ! éclate-t-elle, indignée. Se sauver quand tout croule.

La voix de la femme se fait très douce.

— Il a honte, le pauvre. Mais il reviendra.

Une telle conviction l'anime que Natalie détourne la figure, émue par l'expression des traits ravagés.

La maison m'apparaît moins sordide, tant cet optimisme désespéré en allège l'atmosphère. Cette confiance me gagne. Quand la porte s'ouvre, d'une mâle poussée, je suis certaine que, d'en haut, on a exaucé la malheureuse et que son Trefflé rentre.

Je cours vers l'arrivant et m'empare de son chapeau.

— Vous voilà ! dis-je, tout feu, tout flamme. Votre femme sera contente.

Il me dévisage calmement, un sourcil plus haut que l'autre.

— Ma femme ?

— Vous êtes Trefflé ?

Il rit.

— Et vous, très... forte. Qui vous a dit que Trefflé est un de mes prénoms ?

— Votre femme.

Un frisson me glace l'échine. L'homme qui s'avance vers la clarté est élégant, sûr de lui. Amusé de ma méprise, il répète :

— Ma femme ? Pourquoi tenez-vous à m'encombrer d'une moitié ? Vous avez une dent contre les célibataires ?

Ce n'est pas le mari. J'ai l'air fin !

— Te voilà, doc-de-mon-cœur ? Pas trop tôt, bougonne Natalie, en souriant affectueusement à son cousin. Eh ! bien, Rosanne ? Défige. Ce n'est que Philippe.

Elle me secoue.

— Que Philippe.

Il a les yeux d'Yves. Flair, intuition, clairvoyance, appelez ça comme vous voudrez, je sais, en croisant les yeux moqueurs, que Philippe Grégoire tiendra dans mon existence une place bien à lui, et j'ai peur, un peu, de cet homme qui me regarde avec les yeux d'un autre.

10

Trefflé-Philippe pratique avec une égale maîtrise médecine et badinage. Me prenant la main, il ânonne ses déclinaisons latines.

— *Rosa, rosa, rosam, rosae, rosae, rosa.*

Il s'interrompt, content de sa gymnastique intellectuelle, et me salue d'un retentissant :

— *Ave,* Rosanne...

... qui fait sursauter puis rire les petits Beauchemin. Un sourire retrousse sa lèvre supérieure, révélant, sous la moustache aux soies touffues, une denture étincelante. Je pense : « Il doit piquer, quand il embrasse. » Et, confuse des audaces de mon imagination, je vire au pourpre comme un érable aux gelées d'octobre.

Il surprend ma rougeur.

— Eh ! oui, ça pique, fait-il, narquois. Beaucoup, à ce qu'on me dit.

Si suffisant qu'il soit, il me plaît, le cousin. Je m'étonne de subir, déjà, la séduction d'un autre homme. Où est donc la petite ombre triste qui a cru mourir de son chagrin d'amour ? Est-ce bien la même Rosanne, cette vibrante créature accordée aux malheurs du prochain et qu'un regard mâle émeut ?

Il s'approche de la moribonde avec le même sourire de sympathie qu'il a eu pour moi, et la femme se prête, conquise, aux mains qui la palpent doucement.

Je respire mieux, libérée des yeux sombres dont la magie vient de raviver d'un seul coup mon été doux amer.

Plus tard, seule, dans le noir qui poétise mon quartier, je reviens chez moi, perdue en une incohérente méditation. Il me tarde de regagner mon domicile, et je hâte le pas le long des constructions sans grâce, poussées pêle-mêle sur les trottoirs.

Colette m'attend, le nez frétillant. Elle me crie, d'en haut :

— Oui, c'est moi. J'avais congé. Monte vite.

Puis, se ravisant après un coup d'œil à sa montre :

— Neuf heures quinze. Bonté divine ! Il faut que je parte. La garde en chef mange les retardataires toutes crues à la sauce piquante. Tu t'es trop fait attendre. Pour ta pénitence, raccompagne-moi.

— A pied ? Jusqu'à la rue de Bellechasse ? Tu es folle.

Un pied de nez à Simon, une grimace à Fabien, et elle dévale l'escalier, Gros chat gras à ses trousses.

— D'où sort-il, celui-là ?

— Il t'a flairée, c'est certain, dis-je. On ne l'a plus revu depuis ton départ. Pauvre innocent, il a le béguin pour toi.

D'un ton gentiment autoritaire auquel j'ai pris l'habitude d'obéir et que Natalie emploie aussi, à l'occasion, Colette ordonne :

— Allons ! embraye, sœur d'été. Et pas question d'autobus ou de tram. *Pedibus.*

Colette rythme sur le mien son pas sautillant. Nous passons sous un lampadaire qui fait briller une petite bouche à la pulpe humectée par un bout de langue gourmande.

— Raconte un peu, toi ! Il doit y avoir du complet-veston sous tes airs penchés. Tu sens le mystère à plein nez.

Nous arrivons devant le cabinet du docteur Grégoire. La vue des lettres inscrites sur sa plaque de bronze me donne un coup au cœur. Je fais :

— Tiens !

Et je m'arrête si brusquement qu'elle bute sur mes talons.

Elle lit :

— Philippe Grégoire, médecin.

Son cerveau rapide saute aux conclusions. Elle se penche vers le matou qui la suit toujours, pathétique avec ses prunelles d'or noyées d'affection.

— Que penses-tu de ça, Minou ? Le médecin le plus affriolant de l'hôpital, celui que je place comme qui dirait, en tête de liste : elle le connaît.

Gros chat gras opine de l'occiput et du moteur.

— A l'hôpital, on le catalogue « forteresse imprenable ».

Pendant que nous longeons l'interminable muraille des entre-pôts qui prêtent à ce quartier une allure manitobaine, elle détaille, sans se faire prier, son quotidien d'infirmière débutante. Plusieurs stagiaires souffrant de la grippe, on l'a, par extraordinaire, placée en dermatologie, service particulièrement rebutant.

— Le petit Gino a la teigne, et le gros Roger, la gale. On le frotte deux fois le jour, dans la baignoire, avec une brosse et du savon vert. Il sort de là sanglant... et sanglotant. Je pleure avec lui. Les jumeaux Ménard sont mangés par les poux. On leur rase la tête à travers les excoriations. Mon favori, c'est le benjamin : quatre ans, tout frêle, avec de magnifiques yeux bleus, mais presque plus figure humaine. Il est couvert d'eczéma. On lui fait des pansements par tout le corps, on masque son visage. Le soir, il faut lui attacher les poignets aux barreaux du lit. Nestor qu'il s'appelle. Pour moi, c'est Toto. Nous avons une passion commune : les bêtes. Nous nous contons des histoires de chiens et de chats.

Elle pivote sur elle-même et attrape notre escorte par la peau du cou.

— Parfaitement, monsieur. De chat. Comme toi.

Elle donne une chiquenaude au museau roussâtre.

— Toto t'aimerait, mais pas question. On est très sérieux, dans cette boîte. Sus aux microbes !

Elle dépose le chat qui reprend son dandinement sur nos traces.

— Tu devrais voir garde Rouleau, Rosanne. De la rigidité empesée. Quand je la croise, j'en ai la chair de poule. Et compé-tente, avec ça ! Les médecins ne jurent que par elle.

Colette va, va, ses paroles ajustées au rythme de sa marche.

— J'adore mon métier. Je n'en changerais pas si on m'offrait la Côte-d'Ivoire, le golfe Persique et la Barbade dans le même paquet. Mais j'ai assez parlé de moi. J'ai une commission de maman pour ta mère. J'ose à peine la formuler.

— Cesse de tourner autour du pot.

— La veille de la Toussaint, il y aura bal masqué à Ville-Marie, chez tante Reine. Maman aimerait que ta mère confectionne trois travestis : un pour Marilou, un pour Henriette, un pour elle. Papa paiera, bien entendu. C'est une affaire que les miens proposent, rien d'autre, mais je trouve gênant de servir d'intermédiaire. Pour eux, le plaisir : pour ta mère, le boulot.

Depuis un moment, elle salue de droite et de gauche des compagnes qui s'engagent, au triple galop, dans le corridor d'entrée de l'hôpital. Des voix joyeuses montent, libres encore pour une seconde, sous les arcades du portique. Colette s'attarde pour caresser Gros chat gras qui rappelle sa présence par un miaulement.

— Eh ! bien, Monsieur, tu n'as plus qu'à retourner d'où tu viens. Suis Rosanne, maintenant.

Elle tire la porte, fait un salut gavroche et disparaît, happée par le hall sombre. J'ai beau cajoler, supplier, offrir un bout de chocolat, l'animal refuse de me suivre et s'embusque dans la voie d'accès des ambulances pour attendre le retour de la bien-aimée.

Moins d'une semaine plus tard, nous nous retrouvons fortuitement, Colette et moi, dans le grand îlot laborieux de l'hôpital.

— Mes grandes, a décrété sœur Marcelle, un matin d'octobre, vous irez, à tour de rôle, travailler au dispensaire de Sainte-Justine. Procurez-vous, chacune, un uniforme et des souliers blancs. On vous indiquera sur place vos nouvelles fonctions. Natalie : à vous le lundi ; Rosanne, le mercredi...

A moi le mercredi. A moi l'hôpital et ses occupants : Colette, son petit Toto, le docteur Grégoire.

Je déchante vite. La routine manque par trop de charme. Sous la tutelle d'une infirmière, je dresse les fiches d'admission des patients qui attendent sur les bancs de la salle commune. J'apprends à poser sans sourciller des questions indiscrètes : « Quel métier exerce votre mari ? Quel salaire gagne-t-il ? Depuis combien de temps est-il sans emploi ? Pouvez-vous payer pour le traitement ? Travail monotone, malgré les contacts humains. Restent, ô compensation ! les courses dont on me charge aux quatre coins de la bâtisse, en chirurgie, gynécologie, orthodontie. Et même, une fois, au laboratoire.

Je déambule dans les corridors, persuadée qu'on m'identifie aux femmes médecins admises depuis peu à la pratique hospitalière. Mon sarrau blanc, impeccablement coupé par maman, prête à confusion. Les médecins se retournent sur mon passage, se demandant...

— Qui peut-elle bien être ?

Ça m'amuse. Il ne me manque vraiment, pour la bailler belle, que le/stéthoscope dans la poche. Cette soif d'épate ! Je n'en guérirai donc jamais ? D'où sourd-elle ? De la conscience de mes lacunes ou de mes hautes aspirations ? Du désir de plaire ou de celui d'éclipser ? Ou des quatre sentiments à la fois ?

Ma course au laboratoire se solde par une déception. Je comprends, à l'acuité de celle-ci, combien, déjà, le beau Philippe m'intéresse.

Je cherche la dermatologie, contente que mon uniforme serve de coupe-file pour circuler dans cette chasse gardée. Un escalier descendu, deux autres remontés, j'erre, complètement perdue, parmi les grandes vitrines pleines d'enfants qui me regardent, nez collé à la glace. Je retourne vers l'ascenseur quand je me heurte à un bolide surgi, rose et blanc, d'une encoignure.

— Colette !

— Ah ! ça, par exemple ! Rosanne, toi ici ?

Elle a les yeux rouges et un mouchoir en boule dans le poing. Je m'apitoie :

— Mon pauvre chou ! Tu pleures ?

Elle renifle copieusement.

— Jamais de la vie !

Je réprimande :

— Colette !

Les écluses se rouvrent, arrosant le tissu de son couvre-tout.

— C'est la faute à ce chat aussi.

J'ai une illumination. Gros chat gras. Elle a introduit Gros chat gras dans l'hôpital.

— Tu n'as pas fait ça ?

Elle renifle plus fort ; mais, déjà, une fossette se creuse dans sa joue. Depuis une semaine, elle nourrit l'animal en cachette. Un soir de cafard, elle a invité le chat chez elle et l'y a gardé jusqu'au matin.

— On t'a grondée ? Pour cette bagatelle ?

— Plus grave que tu ne crois. Comme d'habitude, je n'ai pas pensé plus loin que le bout de mon nez. Tu sais, le petit Toto...

Elle s'arrête pile.

— Je te le montre. Ma salle est à côté. Viens ; la garde en chef est absente : elle raconte, en ce moment, mes étourderies aux autorités pour demander mon renvoi. Je me demande comment je me tirerai de ce mauvais pas. Pourtant, à mon point de vue, il n'y a pas de quoi fouetter un chat. Viens !

Elle m'entraîne jusqu'à la porte, qu'elle ouvre d'un coup de son talon blanc. Les enfants se redressent et lui font fête. « Garde » par-ci, « garde » par-là ; les mains se tendent vers son tablier, et tous les visages sourient d'aise.

— Le voilà, mon Toto, murmure Colette en se penchant sur le plus petit lit ; une momie la regarde par deux hublots bleus où brille la flamme très pure de l'amour.

— Garde ! gémit une voix assourdie par les pansements : ils me l'ont pris.

— Je sais, mon chéri. Voici ma cousine Rosanne. Je peux la prier de le garder pour toi.

— Oh ! oui, oui... et je l'amènerai chez nous en partant d'ici.

— Si tu veux.

— Et elle, elle veut aussi ?

— Demande-le-lui. Il faudra promettre de ne plus te gratter.

— Minute, dis-je, intriguée. A quoi m'engages-tu ? Je garde... quoi... pour Toto ?

— Tu consens ? Chic !

La momie, radieuse, touche ma jupe d'un gros bras entortillé de gaze. Colette replace draps et couvertures. Je l'oblige à me faire face.

— Je m'engage à garder quoi ?

— L'objet du litige : Gros chat gras.

— Ah ! non, alors !

— Je t'en prie, Rosanne. Je ne sais plus qu'en faire. Hier, comme Toto se mourait d'ennui et que la neurasthénie risquait de compliquer son cas, je lui ai apporté le chat dans un sac. Toto s'est endormi aussitôt, le chat entre les bras. Quand l'infirmière de nuit a pris son service, le chat lui a sauté dessus. De saisissement, elle a laissé choir les thermomètres, et son cri a éveillé tout l'étage. Les enfants riaient, la garde courait, le chat miaulait : un sabbat du tonnerre. Conclusion : la garde en chef exige mon congédiement, sous prétexte que je manque de maturité.

Elle baisse l'oreille.

— Si on me renvoie, jamais je ne me consolerai.

— Plaide ta cause auprès de la supérieure.

— Contre garde Rouleau ? Aucune chance. Elle jouit d'une influence considérable...

— Un médecin peut intercéder en ta faveur ?

— Lequel ? Plusieurs me content fleurette, mais aucun ne me connaît assez pour se porter garant de mon sérieux et de mes capacités.

— Il y a bien le docteur Grégoire, dis-je, hésitante.

— J'y pense, figure-toi. Lui prendra en pitié la malheureuse idiote qui aime trop ses patients.

Je rentre donc chez moi, chargée d'un double fardeau : un chat et une mission diplomatique. Je dois bien cela à Colette, à cause d'Yves et du roman d'autrefois, brisé par ma faute.

D'un téléphone public, j'appelle le docteur Grégoire et prends rendez-vous pour le même soir. Il croit que je le consulte pour mon bras, et j'évite de le détromper. D'ailleurs, ce bras, que mon travail m'a fait négliger, il importe que j'en connaisse le défaut.

Natalie accepte de m'accompagner.

— Tu peux te passer de chaperon, fait-elle, Philippe est très correct. Il n'attentera pas à ta vertu, même si tu vas seule chez lui. Enfin, puisque tu insistes...

Le rire du docteur ébranle les vitres, quand je lui conte les ennuis de Colette.

— Drôle de gamine, cette Vadeboncœur. J'intercéderai pour elle, et plutôt deux fois qu'une.

— La garde dont elle relève passe pour une ogresse.

— Rouleau ? J'en fais ce que je veux.

— C'est ça, don Juan, accuse Natalie, vante-toi de tes succès au lieu d'examiner ta cliente. Avant de rescaper la fille au chat, vois donc un peu à sa cousine ici présente.

— Oui, ma cousine ici présente.

Le docteur m'enveloppe d'un chaud regard.

— Allons, Rosa-Rosae, donnez-moi votre beau bras blanc.

11

Je le regarde et je le déteste, mon beau bras blanc qui émerge de la courtepointe, innocent, bien formé, mais dont la peau douce cache un redoutable secret.

— Il faut opérer le plus tôt possible, a déclaré le docteur Grégoire en pressant ma main avec force. Le geste, plus masculin que fraternel, a fait circuler mon sang plus vite, et le coup ne porte qu'après, dans le refuge de mon lit.

— Opérer ? Pourquoi opérer ? ai-je gémi, le souffle coupé par sa présence proche et par sa déclaration. Ne pouvez-vous supprimer autrement cette enflure ?

— C'est une excroissance maligne. Une radiographie précisera mon diagnostic. Mais je ne crois pas me tromper. Je vous sais assez forte, vous que j'ai vue chez les pauvres, pour encaisser la vérité.

Maintenant seule dans la chambre que je partage avec maman, je frissonne d'appréhension. Elle entre, tirant le pied.

— Enfin ! Elles sont parties. Et satisfaites, le croirais-tu ?

Le dernier essayage du trousseau Simard l'a exténuée. Elle allume. Je me tourne vers le mur pour dissimuler mes traits, et dis, admirative :

— Je comprends ! Une pure merveille, la robe de noce. Beaucoup trop jolie pour cette fille. On t'a payée ?

— Il a bien fallu. Je refuse de livrer mes créations sauf contre argent sonnant. Ces dames croient les couturières... cousues d'or. Si elles savaient !

Je me dresse sur mon séant.

— Tu as des difficultés ? Confie-les-moi. Je suis assez mûre pour en prendre ma part.

Elle m'embrasse sur la joue.

— Chère Rosanne. Comme c'est bon ce que tu dis là. Je me sens épaulée, soutenue.

La veilleuse éteinte, elle se glisse près de moi. Au lieu de lui apprendre ma désastreuse nouvelle, je lui raconte les déboires de Colette. Maman rit, certaine que sa nièce sortira de l'aventure sans y laisser une plume.

— Dire qu'Adèle projette de passer l'hiver en ville pour se rapprocher de sa fille !

— Bonté divine ! maman, j'oubliais. Colette m'a chargée d'une commission.

— A propos du bal masqué chez Reine ? Sa mère m'en a touché un mot par lettre, aujourd'hui. Je refuse.

Sa voix trahit une lassitude profonde.

— Je n'en peux plus. Cette dernière commande m'a fourbue. Alors, mettre en chantier trois travestis aussi compliqués... Tu te figures : Marie-Antoinette, la reine Victoria et Catherine de Russie. Le cœur me manque.

— J'aurais pu coudre avec toi, dis-je, sans enthousiasme, mais tu as bien fait. Ta santé avant le reste.

L'horloge sonne douze coups. Chacune de nous, après un baiser à l'autre, s'enferme dans sa nuit.

Trois jours durant, une question me hante : « Comment lui dire ? » Natalie me harcèle :

— N'attends plus : tu aggraves ton cas.

Je ne me décide pas. Maman pose sur moi ses bons yeux pleins de tendresse. J'y lis, chaque fois, une interrogation : « Quelque chose te tracasse, je le sens. Dis-le-moi. Est-ce Yves ?... »

Yves ! Comme il fait mal, encore, sous la cicatrice ! Un rien me rappelle le beau visage que je ne parviens pas à oublier. Où es-tu, ma jeunesse ? Je me sens vieille et désenchantée. Tu m'habites de nouveau le soir où Philippe Grégoire téléphone pour s'enquérir :

— Qu'arrive-t-il, Rosa-rosæ ? Vous oubliez votre cousine au point que vous négligiez son médiateur ?

— Vous avez des nouvelles ?

94

— Comment donc ! On ne parle que d'elle à l'hôpital.

— Et alors ?

— J'ai rencontré garde Vadeboncœur. Ravissante créature.

— Ce n'est pas ce que je vous demande.

— Excusez mon enthousiasme. On nous offre rarement d'aussi jolis brins de fille. D'où la circonspection des religieuses.

— Docteur !

Il rit.

— Je vous exaspère ? Natalie non plus ne me supporte pas plus de dix minutes d'affilée. Nous gardons la fille au chat. Elle manifeste des dispositions remarquables ; et ses petis patients l'adorent. Je les imiterai volontiers, si elle m'en donne l'occasion.

— Vous n'êtes donc jamais sérieux, docteur ?

— Avouez que vous me préférez ainsi. N'aimeriez-vous pas subir mes bouffonneries plus longtemps, ce soir ?

— Oui, oui, oui, je le souhaite.

— J'ai obtenu une consultation pour vous, chez mon confrère Lefort, orthopédiste et chirurgien. Il vous attend. Peur ?

— Oui.

— Franche comme je les aime, s'exclame-t-il. Je vous cueille dans quinze minutes.

— Avec qui causais-tu ? demande maman qui s'apprête également à sortir.

— Avec le cousin de Natalie. Je le vois, ce soir.

— Natalie en est ?

— Sans doute. Tu sors aussi ?

— Une tuile, figure-toi. On me convoque à l'école de ton frère.

— Simon ? Un coup pendable ?

— Non, Fabien. Ça m'intrigue. Tu sais comme il étudie. Un garçon de douze ans, toujours le nez dans ses bouquins. Il s'est juré d'obtenir « très grande distinction », comme l'an dernier. Un bon enfant.

Je l'embrasse d'un élan spontané qui la surprend par sa chaleur.

— Maman. Je t'aime, tu sais.

— Moi aussi, Rosanne.

95

Et va ton chemin et moi le mien. Le soir même, je suis fixée : la radiographie décèle bel et bien un lipome accroché à l'os du bras droit : une opération immédiate s'impose.

— Je vous passe samedi de cette semaine, à Sainte-Justine, dit le docteur Lefort.

Sainte-Justine. L'arc irisé dans mon ciel gris.

— Votre cousine a changé de service, fait un Philippe grave qui examine les clichés dégoulinants. Vous la retrouverez en chirurgie.

— Je retiens pour vous, Mlle Fontaine ? s'informe le chirurgien.

— Quand j'aurai prévenu ma mère.

Je jette un regard malheureux au beau Philippe qui s'éclipse aussitôt, nous laissant seuls.

— Voyez-vous, docteur, dis-je, honteuse de mon lot, ma mère est veuve. Nous ne sommes pas riches. J'ignore comment nous réglerons vos honoraires.

Il pose la main sur mon épaule, une main aux doigts courts et forts, intelligente et industrieuse.

— Vous me paierez quand vous pourrez. Un peu par-ci, un peu par-là. Au mois, si vous préférez. Quand vous travaillerez, disons ? Nous signerons un papier pour la forme. Vous me faites confiance en me remettant votre bras ; je vous fais confiance pour le pain de mes enfants.

Il rit.

— Mettons pour leurs gâteaux ; moins mélo.

Le docteur Grégoire insiste pour me reconduire et connaître maman. Il la force à s'asseoir entre nous deux, sur le divan des grosses clientes et explique doucement :

— Madame la mère de Rosanne, nous vous empruntons votre fille pour quelques jours.

Maman s'effare :

— Pour en faire quoi, grands dieux ?

— De la charpie.

Il plaisante, mais les mots portent.

— Elle vous a caché ses projets pour vous éviter des inquiétudes. Ne vous tourmentez pas ; nous en prendrons bien soin.

96

Vous en avez de la chance...

Maman pâlit, pâlit. Habitué à ces situations, le docteur la rassure.

— Une opération sans gravité, mais indispensable. Voyez vous-même.

Mon bras droit dans sa paume, il indique, du pouce, la saillie mouvante.

Le docteur parti, nous regardons en face une situation que nous pouvons accepter parce que nous sommes deux pour la porter.

— Tu reprendras tes études ensuite, voilà tout, conclut maman. Quelle chance qu'on t'hospitalise à Sainte-Justine ! Tu y verras Colette... et ce charmant docteur Grégoire.

Quelle chance, en effet !...

12

— Doucement, c'est la nausée. Le chloroforme, tu comprends. Je tiens le haricot ici, à ta droite ; laisse-toi aller. Là ! Quand je te disais que ça irait mieux.

Une voix de miel bourdonne à mon oreille. On tourne ma figure vers le bassin et on l'y maintient de force. Je gémis :

— J'ai mal au cœur !

Une lueur de connaissance éclaire les brumes de mon réveil. L'opération est terminée. J'ouvre un œil et le referme aussitôt, prise de vertige. Mais ce coup d'œil suffit à photographier la chambre et ses occupants : une religieuse, Colette, et Philippe Grégoire.

Un poids étrange me cloue au matelas, malgré les efforts que je déploie pour me soulever. De ma vie je n'ai eu à ce point mal au cœur. J'adresse, des yeux, une prière à Colette.

— Que veux-tu ?

Je réussis à articuler, la voix pâteuse :

— Que le docteur Grégoire s'en aille.

La nausée me rejette pantelante sur le haricot, et je me demande si je ne vais pas mourir, comme ça, tout bêtement, en vomissant.

Je tâte sous les couvertures : une carapace de plâtre me couvre, de la ceinture aux épaules, étranglant le diaphragme. Mon bras, ridicule, se tend vers le ciel, à angle droit, soutenu par un bâtonnet également enduit de plâtre fiché quelque part sous l'aisselle.

Je pousse un cri de terreur :

— On m'a amputée ?

Un triple éclat de rire me répond.

— Voyons, ricane le docteur Lefort, qui entre dans la chambre ; d'habitude, quand on ampute, le membre disparaît. Ce plâtre partira la semaine prochaine. Pour enlever la tumeur à fond, j'ai dû gratter l'os. Le corset vous protège, rien de plus.

Il s'adresse à Colette, un soupçon de respect dans la voix :

— Bravo ! garde Vadeboncœur. Très belle tenue dans la salle.

Je quête piteusement :

— Vite, la... la légume, s'il vous plaît,... la bassine...

Une pensée me tourmente. Ce plâtre, on n'a pu me l'appliquer sans me dévêtir. Une rougeur intense brûle ma figure. A moins, peut-être, qu'on m'ait laissé une chemise, là-dessous. Je glisse la main gauche sous l'échancrure à la taille. Non. Rien que la peau. Tous ces gens autour de la table. Les médecins, des hommes... Le docteur Philippe, surtout ! Ils ont dû voir mon torse nu.

Je regarde le renflement à la hauteur des seins. Comment le revoir sans embarras, maintenant ?

— Sa fièvre monte, s'inquiète le chirurgien. Venez, ma sœur, je lui prescris un cachet pour maintenant, et d'autres pour cette nuit.

Nous restons seules, Colette et moi ; douce, elle éponge mon front, essuie ma figure.

— Colette, quand on opère un patient, on le déshabille complètement ?

Elle sourit, l'air gamin.

— Encore ta sainte pudeur ? On ne découvre jamais qu'un bout de peau à la fois.

— Mais, un plâtre comme le mien. Après tout, la poitrine et le dos... Le docteur Grégoire, il a vu ?

— S'il n'est pas complètement aveugle, il fallait bien qu'il voie ! Il s'en relèvera, va. La chair, pour le médecin, c'est une substance pathologique, qu'elle recouvre une croupe de mannequin ou des bras comme les tiens. Dors, maintenant.

Facile à dire... avec ces pensées et cet accoutrement.

Les jours passent, cinq en tout, blancs et vides. Un midi, le docteur Lefort vient exhiber la tumeur, noyée dans le phénol ; il estime que tout va pour le mieux. Moi, pas. Ni maman ni Philippe

Grégoire ne me gâtent de leurs visites. La première n'est venue qu'une fois, et, encore, poussée par l'intérêt.

— Ton oncle Henri envoie un chèque pour que je t'achète des fleurs. Tu permets que j'applique cet argent aux dépenses ?

Le second : à quoi bon espérer ? Cinq jours que je guette sa venue le long du corridor. Et rien, toujours rien. Natalie m'a prévenue qu'il s'occupe de Bayard, son cheval de selle, blessé à une patte le lendemain de mon opération.

Enfin, un beau midi, je le vois s'avancer vers ma chambre. Une infirmière l'arrête au passage. Elle cause, le retient. Enfin, elle tend un papier et file son chemin.

— Alors, Rosa-rosae ?

Il est là, à mon chevet, égal à lui-même, Trefflé-Philippe, manne espérée.

— Alors, docteur ?

— On va mieux ?

— Depuis tout de suite, oui, beaucoup mieux.

— Vous trouvez que je vous néglige ? Rappelez-vous l'autre jour. Qui m'a chassé quand je me penchais sur sa couche ? Vous !

On ne peut qu'être léger et jeune, avec lui ; jamais grave.

— Je me fonds en excuses, dis-je. D'autant plus volontiers que j'étouffe dans ce carcan. Voulez-vous me l'enlever ?

La phrase à peine lancée, je saisis son implication, et je pique le plus beau fard de ma carrière.

Son rire se déclenche comme un tonnerre.

— « Cachez ce sein que je ne saurais voir », dit-il, parodiant Molière avec ravissement.

Je partage cette hilarité dont nous comprenons seuls le sens, et qui n'appartient qu'à nous.

Je fredonne, sur l'air de Micaëla, histoire d'étaler mon embryon de culture :

— « Parlez-moi de Bayard ».

— Un thème de Carmen ? Qu'ouïs-je, Rosanne ? Vous aimez la musique ?

— Comme tout le monde. Mais je la connais peu.

Il se lève, la moustache en bataille.

101

— Jeune fille, vous serez ma Galatée. Je vous enrichis de la splendeur du monde : musique, arts, lettres.

Je me trémousse d'aise dans mon plâtre. Il veut me révéler les choses qu'il aime. Je hasarde une blague, pour dissimuler mon contentement.

— Pour les lettres, à la rigueur, je peux m'en tirer. Je plonge ma plume dans l'encre...

— Qu'elle est fine, qu'elle est fine ! confie-t-il à ma pendulette.

Il s'arrête court.

— Lettres. Avez-vous dit : lettres ?

Je réponds, du tac au tac :

— Lettres, j'ai dit : lettres.

— On m'en a confié une pour vous, et j'oubliais de vous la remettre.

Il consulte mon dossier, lance une enveloppe sur ma couverture et s'en va, comme il est venu, baladin magnifique, maître de céans.

Qui m'écrit ? Je connais ces pattes de mouche. Yves. C'est Yves. Mes doigts tremblent. Je saisis le billet dans ma main gauche et morcèle le cachet avec les dents. Sans doute Yves me demande pardon et proteste de sa tendresse. « Chérie, chérie », dira-t-il...

J'élève les mots à la hauteur de mes yeux. « Chère Rosanne », dit l'en-tête.

Les larmes se mettent à couler, entrecoupées de sanglots qui me déchirent la poitrine, sous le carcan. Colette me trouve au milieu de cette amertume, et lit le billet, si froid qu'il glace jusqu'au cœur.

— Gentil, le monsieur, ricane-t-elle. Il t'offre ses vœux de rétablissement et ses hommages. Une caresse à la bête blessée pour s'assurer qu'elle souffre encore. Heureusement que le post-scriptum rachète le reste.

— Un post-scriptum ? Où ça ?

Je lui arrache la lettre. Cinq mots, mais du meilleur baume : « Voulez-vous que nous correspondions ? » Ça veut dire quoi ? Qu'il souhaite reprendre contact ? Qu'il me laisse l'initiative de la rupture ? Oh ! lire dans les cœurs, comme Asmodée.

102

— Tu lui réponds ? fait Colette, occupée à une mystérieuse besogne derrière ma commode. Si tu as besoin de secrétaire, compte sur moi.

Je me vois mal dictant à Colette des mots pour Yves.

— Merci. J'attendrai de pouvoir écrire moi-même. Quand m'enlève-t-on mon enveloppe ?

— Demain. Et on te donne congé aussitôt, si la plaie... plaît.

Une musique onctueuse envahit la pièce.

— Bon ! le voilà branché. Je te prête mon appareil de radio, lance Colette en s'en allant.

Un poste pour moi seule. Je me cale plus creux dans l'oreiller. Des chansons emplissent ma chambre. Je les fredonne, absorbée par ma réponse à Yves. Vais-je lui révéler que je l'aime encore ? Que personne ne prendra dans ma vie, cette place merveilleuse, sienne à jamais ? Et si en m'écrivant, il a cédé à un attendrissement passager ?

Une complainte coule ses mots nostalgiques autour de moi.

> *Imaginons que nous avons rêvé,*
> *Notre peine sera bien moins amère ;*
> *Imaginons que vient de s'achever*
> *un rêve merveilleux, une chimère.*
> *Et reprenons dès à présent*
> *Chacun notre chemin, vous par ici et moi par là,*
> *En nous serrant la main...*

— Eh bien, mais on rêve ! dit une voix chaude si près de mon oreille que je sursaute.

— Misère ! maugrée le docteur Grégoire. Je fais peur aux femmes.

Je ris nerveusement.

— Ça vous change ; à ce qu'on affirme, vous avez la cote d'amour partout où vous glissez la moustache.

— Sauf auprès de vous ?

L'outrecuidant personnage ! Pourquoi me traite-t-il en petite fille ?

J'interroge, à dessein, pendant qu'il consulte mon dossier :

— Vous avez quel âge, docteur ?

— Dix ans de trop, ma chère. Un précipice entre nous. Et vous êtes mal équipée pour le franchir. On vous en débarrasse ?

— Volontiers. Mais pas vous, docteur.

— Vous savez, dit-il en riant, j'en ai vu bien d'autres.

— Peu m'importe. Moi, c'est moi.

Il a un soupir comique.

— C'est Lefort qui coupe. Avec un nom pareil, n'est-ce pas ? Moi, je vous ramène chez votre mère. Nous lui causerons une surprise.

Le cher homme. Quelle différence entre sa spontanéité et le mutisme d'Yves ! Je les compare. Les mérites de Philippe me sautent aux yeux. Pourtant, l'autre domine toujours, accroché à mes fibres, et je l'aime, malgré moi, d'un drôle d'amour tenace et désespéré.

L'après-midi même, je rentre chez maman, au bras de Philippe. Deux sentiments se partagent mon cœur : joie de me replacer sous sa coupe ; rancune qu'elle m'ait négligée pendant mon séjour à l'hôpital. J'hésite à l'embrasser et je remarque son embarras soudain, son zèle pour éconduire le docteur. Pourquoi m'interdire la salle de couture ? Et cette insistance à diriger mes pas vers la chambre du fond ?

J'ouvre en fraude la porte de la pièce-mystère. Sur le tablier de la machine à coudre s'amoncèlent des verges d'étoffes soyeuses, des rubans, une capeline toute montée : les trois costumes pour le bal masqué !

Moi qui ai jugé sans indulgence cette mère admirable, je m'affaisse dans les satins et je me mets à pleurer, noyant dans les larmes les peines amassées des quatre horizons.

— Pourquoi pleures-tu, ma chérie ? murmure maman en essuyant ma figure ruisselante. Ce travail m'amuse, vraiment. Et puis,... ne t'ai-je pas dit que je t'aime ?

13

Octobre s'achève. Les érables plantés en bordure de notre trottoir prêtent un cachet mélancolique aux maisons découpées dans la muraille, leurs balcons semblables à des meurtrières en surplomb. De chez moi, on découvre un pan de la montagne et le dos rond du tunnel sous lequel les trams s'arrêtent pour souffler pendant leur ascension.

« Si j'allais là-haut ? me dis-je, un beau dimanche. Natalie m'accompagnera peut-être ». Va-je-te-fiche ! Envolée, la demoiselle ! Le téléphone sonne dans une maison vide. Je pars donc seule pour le mont Royal, m'attirant un commentaire de la part de Simon !

— Notre sœur s'émancipe !

L'automne a revêtu son costume du grand couturier. Les ormes se coiffent d'ocre et de cuivre, mais il leur reste, de leur jeunesse de mai, du vert très tendre au creux des feuilles. Je me sens, en mon chandail touffu, sœur du vent, fille de l'arrière-saison.

— Eh là, faites attention ! rouspète un cavalier dont le cheval se cabre devant moi.

Sa compagne arrive à sa hauteur ; les deux bêtes me font face, puissantes et dominatrices.

— Philippe ! c'est Rosanne, fait la voix chantante de Natalie.

Tous deux mettent pied à terre pour me saluer.

— Vous trompez Bayard, docteur, dis-je. Vous honorez de votre... assiette n'importe quelle bête de louage ?

— L'animal prolonge sa convalescence.

Je les regarde, Natalie et lui, splendides dans leurs culottes de drap fin, leurs vestons anglais ; le docteur, tête nue, Natalie, délicieuse sous son chapeau rond. Le beau couple. De la même race. Du même monde. Je soupire :

— Vous en avez de la chance de pratiquer l'équitation.

— Vous n'êtes jamais montée, Rosa-rosae ?

— Si ! dis-je en m'esclaffant. Sur un cheval de trait... et sans selle encore.

Natalie secoue ses boucles.

— Dis, Philippe, quand Rosanne pourra-t-elle maîtriser des rênes avec son bras malade ?

— D'ici quelques jours, je pense. Je me réserve l'honneur de l'initier.

Les montures piaffent, impatientes de reprendre leurs courses. Natalie consulte sa montre.

— L'heure achève, Phil. Rendons les bêtes et descendons en calèche.

— Les femmes me ruinent ! gémit le docteur en se hissant d'un saut impeccable sur sa monture. Mais, comme je les aime, au diable les économies.

Je les attends à l'observatoire, admirant d'en haut Montréal et son Saint-Laurent.

— Elle meuble assez bien le décor, notre Rosanne, lance un soprano taquin derrière moi.

Et une voix d'homme de répondre :

— Gardez la pose encore un peu. Car c'est ainsi, perchée sur ce pan de ciel, ô Rose des parapets, que vous me plûtes et m'épatâtes.

Il rit.

— Votre calèche est avancée. Grimpez.

La ravissante promenade que celle-là ! Le chemin en lacet révèle à chaque tournant un chassé-croisé de sentiers. Je suis au paradis, mais j'en redescends en rentrant chez maman.

— D'où viens-tu ? demande-t-elle, acerbe. Je me mourais d'inquiétude. Le soir tombe si vite en automne.

Elle manifeste son bonheur de me voir rentrée en me grondant. Drôle de sollicitude ! Je m'indigne de l'algarade, mais je me ressaisis en voyant, sur le mannequin, la robe terminée de Marie-

Antoinette, reine de France et de Navarre. Et c'est en plaisantant que je raconte les péripéties de mon excursion à la montagne.

— Le docteur Grégoire te fait-il enfin oublier l'autre ? s'informe-t-elle, ma narration terminée.

Je reste songeuse, pensant à cette réponse trop longtemps remise qu'il me faut donner. Cinq brouillons traînent sur mon bureau. Aucun ne me satisfait. Si je dévoilais le fond de ma pensée, le texte jaillirait de source. Deux phrases suffiraient : « Oui, Yves, je veux correspondre. » Et : « Je vous aime. » Mais ces choses-là se font dans les romans, pas dans la vie.

Je ne suis pas plus avancée, le lendemain, quand le téléphone sonne et que Philippe Grégoire annonce, au bout du fil :

— Mon ami Lefort me confie une sale besogne, Rosa-rosœ : vous découdre. Pouvez-vous passer à mon bureau ce soir ? Venez à la fin de ma consultation ; nous bavarderons.

J'ai le vent en poupe. S'il désire causer avec moi, c'est que je lui plais. Maman m'offre de m'accompagner ; je refuse, lui recommandant de se reposer de l'effort surhumain qu'elle vient de fournir. Les trois robes roulent vers Ville-Marie pour parer tante Adèle et mes cousines à leur bal masqué.

— Je t'assure, maman, je préfère me rendre seule chez le docteur Grégoire. Il est très correct.

— Moi, correct ?

J'ai raconté à Philippe ma conversation avec maman, quand il est venu me saluer dans l'antichambre.

— Je suis un loup. Si vous ne fuyez pas, c'est que vous aimez le danger.

— Ou que j'ai des points à défaufiler.

Il rit et harangue le papier peint :

— N'essayez pas de la déjouer, elle a réponse à tout.

Il propulse le dernier patient vers son cabinet et chuchote :

— Je l'expédie et je suis à vous.

J'entends sa voix basse à travers la cloison ; le téléphone sonne, et mon oreille perçoit, sans se vouloir indiscrète, son « oui » un peu traînant. Une chaleur me pénètre. La naissance d'un nouvel amour ? En cette minute de vérité, à la fine pointe de la découverte, je sais que personne, vraiment, n'entrera dans ma vie tant qu'Yves y restera. Il faut vider l'abcès. Entreprise douloureuse, puisqu'on m'offre une rampe de remontée : « Voulez-vous que nous correspondions ? »

— Les revues pieuses vous absorbent toujours autant ? fait une voix taquine, pendant qu'une grande main m'enlève le bulletin paroissial que je feuillette à l'envers.

— Entrez dans ma tanière.

Il m'installe sur un divan et tire son fauteuil près de moi. Dans cette pièce, deux meubles retiennent l'œil : un immense pupitre de chêne et un orthophonique haut sur pattes et décoré de fioritures.

Il suit mon regard.

— L'objet de mes complaisances ! Vous comprendrez pourquoi tout à l'heure. Votre bras, Marguerite.

Je fais :

— Hein ?

Il paraît navré.

— Elle ne cannaît pas *Faust*, confie-t-il à son appareil. Rien d'irréparable, cependant. Nous y pourvoirons en temps et lieu. Si elle veut bien.

Oh ! elle veut.

Le pansement enlevé, j'aperçois la cicatrice, encore boursou-flée, qui marque mon bras pour la vie, mais que la moindre manche dissimulera. Sa besogne menée à bien, le docteur fait jouer pour moi son opéra favori : *Faust*, de Gounod. Et tout le temps, il me regarde, comme pour dire : « Non, mais est-ce assez beau, hein ? » La soirée y passe, et j'ai l'audace de solliciter, comme il offre de me reconduire :

— Prêtez-moi vos disques ? Je voudrais les entendre encore.

Je perçois sa réticence. Moi qui possède pour tout acquis deux ou trois vieux disques, j'ignore le culte que vouent les mélomanes à leurs enregistrements ; mais je désire tellement entrer dans le monde de Philippe, pour mieux oublier Yves, que je le laisse dire, hésitant :

— Oui, bien sûr, je vous les prête.

Ma maladresse risque de muer en agacement son intérêt nais-sant,... puisque j'abuse. Mais quand je m'enferme dans le boudoir, à la maison, pour écouter les thèmes ravissants, je ne regrette

rien. Pendant que Faust chante sa passion à Marguerite et que celle-ci répond : « Ah ! reste encore, ne t'en va pas, je t'adore », moi, de mon bras blessé, j'écris à Yves :
Cher docteur.

Je vous remercie de la sympathie que vous m'avez témoignée. Je suis maintenant parfaitement remise.

Correspondre avec vous ? Pourquoi donc ? Ne vaut-il pas mieux comme le dit la chanson, imaginer que nous avons rêvé et reprendre chacun notre chemin ?

Ou il se froissera de ma désinvolture ou il écrira de nouveau, me suppliant de renouer. Je saurai s'il a obéi à un élan de pitié ou s'il cultive encore un sentiment pour moi. Avec un sourire de brave à trois poils, je glisse la lettre à la poste, certaine qu'Yves captera mon message chaque fois qu'il entendra la chansonnette à la radio. Ce n'est pas Danielle Darrieux qui murmurera : « Imaginons que nous avons rêvé », mais la Rosanne qu'il a embrassée, un matin d'été, en l'appelant « mon enfant chérie ». Et qui ne parvient pas à l'oublier.

14

Du mois des morts une semaine s'écoule, triste et mélancolique. Les événements internationaux tournent au cirque macabre : le différend entre l'Italie et l'Éthiopie s'envenime, menaçant d'entraîner l'Europe et l'Amérique dans une guerre sans merci.

Pas d'échange possible avec maman, débordée par les commandes des Fêtes : ce ne sont qu'essayages, courses dans les magasins, discussions avec les clientes qui préparent pour Noël un velours par-ci, un satin par-là.

Pas de lettre d'Yves. Pas d'appel de Philippe Grégoire. Je prends les bouchées doubles en service social.

Natalie m'invite un soir à coucher chez elle.

— Mon père voyage pour ses affaires. Nous serons seules.

Assommée d'entendre constamment parler brocart, poult-de-soie et surah, je saisis l'occasion aux cheveux.

Dans l'intimité, ma camarade se révèle plus attachante encore que dans ses rapports sociaux : mélange de vif-argent et de platine. L'appartement reluit de propreté, mais une vaisselle de trois jours s'accumule sur la desserte. Elle me l'indique du geste.

— Tu m'aides ?

Pour effectuer la besogne, elle se vêt d'un pantalon de velours grenat et d'une casaque fleurie, dédaignant le tablier, symbole, selon elle, des servitudes féminines.

— Je récure les casseroles, mais quand ça me chante et comme ça me plaît, déclare-t-elle.

Elle est, à ma surprise, très compétente.

— Aux provisions, maintenant, propose-t-elle, la corvée finie.

111

Pain, jambon, fromages ? Que non pas : les derniers journaux de France retenus pour elle chaque semaine par son libraire.

En ce soir de novembre, pendant que la pluie bat les carreaux derrière les grands rideaux de tulle, je lis *les Nouvelles littéraires* et *Paris Soir* pour la première fois de ma vie, dans le rayon d'une lampe de chevet que nous partageons.

Elle s'endort sur un poème de Saint-John Perse, et je la borde doucement, attendrie par la fragilité de ce corps qui dépense tant d'énergie à se réaliser.

Il me reste, de cette échappée, un poignant désir d'émancipation ; je sens plus lourdes les chaînes qui me retiennent à maman, cette généreuse qui se consume pour moi, mais de laquelle je ne peux me détacher sans nous briser toutes deux.

Le facteur, que je ne guette plus, apporte, un matin, une lettre de Ville-Marie : pour maman. Tante Adèle y raconte la mascarade et le triomphe des costumes, primés tous les trois. Yves y assistait, en Méphisto, coïncidence ironique me rappelant *Faust* et Philippe Grégoire. Méphisto courtise, depuis peu, une acquisition récente du village, l'institutrice Marguerite Michaud, qui, dit-on, touche l'orgue divinement.

Que vaut ma chansonnette contre cette présence envahissante ? Le choix du travesti trahit son homme. Yves amorce une campagne de séduction qu'il mènera à bien, comme les précédentes.

« Qu'elle le garde, qu'elle le noie dans le Bach ! me dis-je, triste à mourir. Si je pouvais seulement le détester, le remplacer !

— Rinnnnnnng ! résonne la crécelle du téléphone.

— Allô ! dis-je, la voix mal assurée.

— Rosa-rosae. Ma jument baie vous attend. Vous sentez-vous assez bien pour la monter ?

Cette chevauchée à Oka, le dernier beau samedi de l'automne, oui, je l'ai dans la mémoire pour longtemps. Les pluies des jours précédents ont à demi décapuchonné les arbres dont la parure gît, colorée, le long des haies et sur les pelouses.

Maman s'est fait tirer l'oreille avant de consentir à mon... élargissement. Parce qu'un homme m'a écorché vive, elle les redoute tous pour moi. Pauvre maman, qui, en toute bonne foi, me

112

retient prisonnière de sa tendresse. Et qui, pourtant, me veut heureuse. A preuve : comme je cherche dans mon placard un costume pour la circonstance, elle dépose sur mon bras une pièce d'étoffe. L'alpaga sable mis en réserve pour son tailleur d'hiver, elle m'en a confectionné une veste de sport qui me va à merveille. Mes frères en bavent d'admiration.

— Tu as l'air d'une millionnaire, là-dedans, commente Fabien.

— Elle est passable, savez-vous, notre sœur, ajoute Simon en ouvrant la porte au docteur qui arrive.

— Mon garçon, fait ce dernier avec bonhomie, je ne suis ni myope ni presbyte. Si tu crois que je l'amène à mes écuries par charité chrétienne, perds tes illusions.

Simon prend un air paternel pour ordonner :

— Faites-lui pas trop manger d'avoine, quand même.

L'animal ! Le docteur rit à gorge déployée. Quand maman, réticente, ajoute ses propres recommandations, il la rassure :

— Ne vous inquiétez ni de son bras ni de sa vertu ; nous serons trois. Une surprise attend Rosanne dans la voiture.

Je pense : « Natalie nous accompagne ». Elle m'a prévenue qu'elle passe quelques jours à Oka, chez sa tante, la sœur du docteur.

Ce n'est pas elle qui minaude au milieu du siège, les yeux pétillants de malice. C'est Colette.

J'aime bien ma cousine. Mais, en toute honnêteté, quand je l'aperçois, si jolie dans sa culotte d'équitation, ma joie tombe. De tout le jour, elle ne revient guère à la surface que pour couler plus à pic. Pourtant, le soleil joue son personnage avec brio ; la montagne pose pour son portrait, endimanchée de couleurs, et le lac somnole, gorgé de lumière, loin en bas.

Colette se voit offrir le meilleur cheval ; elle bénéficie également des attentions constantes de notre hôte.

Nous défilons à la queue leu leu. Intrépide comme toujours, Colette laisse caracoler sa monture. Elle déploie des réserves de grâces que je ne lui connaissais pas. Le métier, le contact avec des hommes ont doté ma petite sœur d'été d'une assurance dont elle tire le maximum d'effet. Le docteur lui tourne autour, laudatif, puis revient derrière m'encourager. Colette l'intéresse : c'est l'évidence

113

même. Lui en vouloir ? Bouder Colette ? Cet homme ne m'appartient pas ; elle y a droit autant que moi. Quand elle passe près de ma jument, j'accuse à mi-voix :

— Tu prends ta revanche ?

Elle fait « oui » de la tête.

— Nous sommes quittes, Rosanne.

Le docteur appelle, de loin :

— Vadeboncœur, un temps de galop...

Il est interrompu par un joyeux :

— Bonjour !

Natalie surgit d'un boqueteau et enligne son cheval près des nôtres.

La vue de Colette la surprend. Elle examine l'intruse d'un œil incisif, pendant que le docteur les présente l'une à l'autre.

La caravane parcourt la montagne, le docteur aux petits soins pour Colette qu'on entend rire dans le vent. Je sens monter l'agacement de Natalie. Comme je suis lasse, avec ce bras que l'effort rend douloureux, je la prie de me ramener chez sa tante.

Elle consent et me confie aux soins de mademoiselle Grégoire, qui semble s'être prise d'affection pour moi.

— Je retourne avec eux, crie Natalie. Bichonnez Rosanne à votre goût, tante Berthe.

La vieille demoiselle la regarde enlever sa monture et disparaître, au bout de l'allée, ses cheveux clairs flottant derrière elle.

Elle dit, tout bonnement :

— Elle est jalouse.

— Natalie, jalouse ?

— Elle croit que je l'ignore, mais j'ai deviné : elle aime Philippe.

— Impossible : des cousins.

— Pas du tout.

— Elle me l'a présenté comme tel, pourtant.

— Le père de Natalie s'est marié deux fois. A la mort de sa première femme, il a épousé notre sœur, à Philippe et à moi. Louise. Morte, elle aussi, l'an dernier. C'est elle qui a élevé Natalie.

— En somme, si je comprends bien, le docteur est plutôt son oncle que son cousin.

— Par alliance, oui.

La tante Berthe est une bavarde née. Pendant l'heure que je passe en sa compagnie, elle me conte l'histoire de la famille. Des générations y passent. Comme je me suis perdue au premier embranchement, je la suis d'une oreille. De l'autre, j'écoute mes réflexions intérieures. Natalie amoureuse de son cousin ? Jalouse de Colette ? Pourquoi pas de moi, alors ? J'aime mieux croire que la tante se trompe ou que la principale intéressée ignore le fond de son cœur.

Et ma Colette qui joue les séductrices. Elle aussi s'accroche à la gloriole passagère pour remonter son ego inquiet, diminué.

Ah ! monsieur le docteur Grégoire, vous vous plongez dans un pétrin dont vous aurez peine à vous dépêtrer. Vous êtes plus clairvoyant, penché sur vos microscopes. Trois bactéries s'agitent sous la loupe pour capter votre attention. Laquelle vous retiendra : Colette, Natalie, ou Rosanne ?

Sans la cicatrice inesthétique que j'aperçois chaque matin en faisant ma toilette, l'épisode tumeur-opération serait presque oublié. Reste le compte d'hôpital et la dette envers le docteur Lefort : mais maman semble accepter ces obligations si volontiers qu'elles ne me tracassent plus. A croire qu'il ne s'est rien passé, tant je mets de zèle à rattraper les autres à l'institut.

Je suis retournée au dispensaire de Sainte-Justine. Je m'y sens à l'aise depuis qu'on m'a fait visiter la boîte pour que j'en apprécie le fonctionnement. Au hasard du tour, j'ai constaté que la Colette en uniforme l'emporte haut la main sur la Colette en civil : ce sérieux, cette consécration à une vocation hardie...

— Figure-toi, me confie-t-elle, comme nous traversons son service ; j'aurai une chambre à moi, la semaine prochaine. Et l'uniforme rose. Je me ferai photographier là-dedans.

— A l'intention du docteur Grégoire ?

Elle hausse les épaules.

— Tu sais, il n'y a pas que lui dans les parages.

— Eh ! pas si vite, dis-je à la forme blanche qui disparaît derrière une porte d'ascenseur. Tu lui préfères quelqu'un d'autre ?

— Casse-nez pour les curieuses !

Maman coud, mes frères étudient, et moi, je m'ennuie. J'ai repris mes promenades le long du boulevard Saint-Joseph ; elles me portent souvent vers l'ouest, depuis que j'y connais un certain omnipraticien à moustache.

Un soir, il sort de chez lui comme je passe. J'ai l'air étonné, pas lui. Son sourire se teinte d'ironie. Monsieur pense que je l'ai fait exprès, peut-être ?

Je le vois entrer dans sa voiture, puis démarrer. Rendu à ma hauteur, il coupe les gaz. La *Pontiac* s'immobilise. Il se penche à la fenêtre et chante la première strophe du duo Marguerite-Faust.

> —*Ne permettrez-vous pas,*
> *ma belle demoiselle,*
> *qu'on vous offre le bras*
> *pour faire le chemin ?*

Je m'approche et réplique, chantant aussi :

> —*Non, monsieur, je ne suis demoiselle,*
> *ni belle,*
> *et je n'ai pas besoin*
> *qu'on me donne la main.*

Il ouvre la portière, me fait signe de m'installer, referme, et termine en beauté :

> —*Par le ciel, que de grâce, et quelle modestie !*
> *Oh ! belle enfant, je t'aime, je t'aime, je t'ai...ai...ai...ai...me !*

Pris au pied de la lettre, ces mots ressemblent à une déclaration. J'en suis si gênée que je me hâte de bafouiller n'importe quoi,... la première phrase qui me vient à l'esprit :

— Il allait vite en besogne, ce docteur-là !

— Celui-ci aussi, vous ne perdez rien au change, dit-il, une menace dans la voix.

— Je devrais me jeter par la portière.

— Pourquoi n'en faites-vous rien ?

— Parce que vous parlez plus que vous n'agissez.

— Vous me provoquez. Si je vous attaquais ?

— Je suis tranquille. Vous inspirez confiance.

— C'est bien ma veine !

Nous roulons vers le nord, boulevard Lajeunesse, et j'entrevois au loin le tablier du pont qui relie l'île Jésus à l'île de Montréal. Je questionne :

— Où allons-nous ?

Il triomphe :

— Ah ha ! la friponne s'inquiète. Son cœur tremble. Quand on libère le torrent, ma chère, on s'en mord quelquefois les pouces. Je vais porter le résultat d'une analyse chez un confrère. Mais vous m'avez donné une idée.

Nous arrivons à destination.

— Cinq minutes et je reviens. J'ouvre la radio. Faites-vous des discours électoraux.

Une chansonnette emplit aussitôt la voiture de son refrain tendre et triste : « Imaginons que nous avons rêvé... »

N'est-ce pas ironique à souhait ? Une révolte prend naissance dans ma tête, et, dans mon cœur, un désir de lutter avec les armes dont je dispose pour forger encore du bonheur. Si le docteur Grégoire s'éprenait de moi, quelle revanche d'annoncer mes fiançailles aux gens de Ville-Marie ! Et qu'un jour, Yves se repente de m'avoir dédaignée et avoue : « C'était quelqu'un, cette Rosanne ! »

Mon chauffeur revient. Il s'assoit au volant et change le poste sans s'excuser.

— Vous appréciez ce sirop de groseille ?... Voyons si ailleurs on ne nous octroie rien de plus consistant ?

Un coup d'archet fait vibrer l'air. Le docteur sourit d'aise.

— Du Mendelssohn. Mon concerto favori. Ça tombe bien, je me proposais de vous le faire entendre.

Il m'explique les mouvements, attendrissant comme un gamin. Je vais me laisser attendrir quand je remarque que nous roulons sur un petit chemin bucolique, le long de la rivière des Prairies. Je lui touche le bras.

— Je croyais que nous rentrions.

Il fait rouler l'auto plus vite.

— Avec cette musique et ce clair de lune ?

— Où allons-nous ?

— Patience.

Sous le lampadaire géant de la lune, la rivière charrie son flot brillant vers le fleuve, bloquée au barrage de la centrale électrique, cruelle de liberté devant le pénitencier, champêtre ensuite, le long des terres de culture.

Je commence à m'inquiéter ; il passe dix heures. Le docteur ricane sous une moustache goguenarde. Et, tout le temps, la musique s'épanouit, coulant dans les veines l'ambroisie et l'alanguissement. Du fait-sur-commande pour une Rosanne sentimentale.

La voiture ralentit et s'engage dans un chemin de traverse.

— Où sommes-nous ? Me le direz-vous, à la fin ?

Il se tourne vers moi. Une de ses mains quitte le volant pour se poser sur le dos du siège, derrière mes épaules.

— Dans un parc d'amoureux.

Dix, vingt voitures sont amarrées, çà et là, feux éteints, sans autre indice de vie à l'intérieur qu'une musique comme la nôtre.

— Vous connaissez l'endroit, dit mon compagnon, sarcastique.

— Non, je ne suis pas une fille comme ça. Vous le savez.

— Une fille comme quoi ? Et comment le saurais-je ?

Sa main descend le long du dossier. Elle touche presque mon manteau. Sa figure virile, qui me plaît tant, se rapproche de la mienne. Il n'y fait pas très clair, et ses yeux cherchent mes yeux.

— Je veux savoir pourquoi vous rôdiez dans mes parages, ce soir, Rosanne. Je suis curieux de nature, et vous m'intriguez.

— Je vous fournirai des explications quand vous m'aurez ramenée à la maison. Maman doit se faire du mauvais sang.

Il se fâche.

— Une grande fille comme vous, se laisser conduire par sa mère !

Je me hérisse, à mon tour.

— Vos manières d'agir lui donnent raison.

Il éclate de rire.

— Ma parole ! Je lui fais peur. Rassurez-vous. Je tentais seulement une expérience pour savoir où nous en sommes, vous et moi.

Il tire un paquet de cigarettes de sa poche et m'en tend une, que j'accepte. Ma première cigarette.

Je m'étouffe presque, en allumant, ce qui l'amuse beaucoup.

— Sa première cigarette ! La chère enfant. Et le premier baiser, Rosanne ? Qui vous le donnera ? Moi ?

J'avale la fumée et m'étouffe complètement. Il me tapote le dos à petits coups. Sa main reste soudée à l'omoplate, insinuante.

— Regardez-les, dit-il, envieux.

— Je ne vois rien.

— Ils s'embrassent, tout autour de nous. C'est un soir fait pour l'amour, et nous sommes seuls ici ensemble.

Sa figure frôle la mienne. Ses yeux gardent leur rayon ironique, et cette lumière me rassure. Il n'osera rien. Il me propose d'oser.

— Embrassez-moi, Rosanne.

Je me souviens du baiser d'Yves. Les lèvres d'un autre homme me plongeront-elles dans le même vertige ? Essayer. Savoir. Mais mon corps ne parlera-t-il pas plus fort que mon cœur ?... et ses sens, à lui, plus haut que sa raison ? Me demandant si je suis folle ou sage, je reste coite. Il insiste :

— Vous ne voulez pas m'embrasser ?

— On ne demande pas ça à une jeune fille, dis-je.

— Je sais.

Il accepte que la tentative échoue.

— On s'exécute sans ambages. Je n'en ferai rien, si étrange que ça puisse paraître.

Il sourit moqueusement.

— Soit dit sans vous offenser. Prenez ma réserve pour ce qu'elle est : un témoignage d'estime.

— Je vous aurai servi de cobaye. C'est mal.

— Pardonnez-moi. C'était idiot de croire qu'on éveille ainsi un grand amour.

Il s'arrête, songeur.

— Vous ne connaîtrez pas ce sentiment qui engage tout l'être... avant des années. A cause de l'autre.

Lucide, je comprends le mobile inconscient de son attitude.

— Vous non plus ne m'aimez pas, docteur. N'est-ce pas le comble du ridicule que deux êtres se plaisent au point de vouloir s'aimer et qu'ils ne puissent y parvenir ?

— Ridicule ? Non. Plutôt sympathique.

Il met la clef dans l'allumage, balaie du feu des réflecteurs les autos closes et dit :

— Les ai-je vraiment enviés, ces couples ? J'ai l'impression que la plupart d'entre eux transforment en réflexe ce qui normalement couronne un bel amour.

Il effleure le bout de mon nez d'un bécot maladroit et conclut, en démarrant :

— Nous sommes des phénomènes, ma chère. Le seul couple à sortir d'ici sans que le rouge à lèvres ait changé de propriétaire.

Le rire dont nous ponctuons cette boutade vaut bien la remontrance que j'essuie en rentrant à la maison sur le coup de minuit.

Mi-décembre, sa première neige et la jubilation de Simon qui tire du hangar traîneaux, pelles et patins. Fabien, lui, installe les doubles fenêtres au bois défraîchi que le propriétaire néglige de réparer, bon an, mal an. Mi-décembre et les démarches multipliées auprès des indigents, démarches où vous touchez du doigt la misère humaine. Dans les taudis, de petites figures émaciées guettent la « bordée » qui les débourbera provisoirement en fournissant du travail aux hommes. Mi-décembre et maman qui se tue de travail, et à laquelle je prête main-forte pour qu'elle tienne jusqu'au répit du carême auquel elle aspire de toutes ses forces.

Et mon cœur vide, et mes mains vides. Et les autres, heureux, le verbe haut : Colette, courtisée par trois internes et si enthousiaste de son métier que Marilou veut suivre son exemple ; sœur Marcelle, sereine,... et moi, tourmentée, lasse de chercher mon accomplissement.

J'admire la beauté légère de la neige sans parvenir à m'en délecter, car elle annonce le début d'une nouvelle saison de frustrations. L'été, je rivalise d'élégance avec mes compagnes, mais l'hiver, mon manteau de drap dit à tout venant mon histoire de gagne-petit, et j'en souffre beaucoup.

A l'église, aux messes dominicales, je m'enfonce dans le bas-côté, tandis que Natalie, superbe en son castor neuf, s'avance, droite et fière, vers le premier banc.

En ce troisième dimanche de l'Avent, le manège recommence ; mais elle m'a harponnée et me remorque derrière elle dans la nef.

— Avance, publicaine ! Comment veux-tu faire corps avec le célébrant si tu lui aperçois à peine la tonsure de ta cachette sous le jubé ?

J'envie son mépris de l'opinion. La ligne qu'elle se trace, elle la suit sans dévier, sans subir l'influence de Pierre, Jean, Jacques. Celle de Philippe ? Dame ! Une autre histoire... dont j'ignore le fin mot. Ses sentiments pour son cousin, elle les garde dans son cœur, et bien malin qui les en extraira.

Un événement dramatique expose le secret au grand jour. Ce dimanche-là même. La grand-messe se déroule à son rythme habituel dans le tonnerre des grandes orgues. Le prêtre porte une chasuble rose ; l'autel disparaît sous les chrysanthèmes ; le dimanche de la joie. Un dimanche en or pour le dénouement heureux d'une histoire d'amour.

Natalie s'absorbe dans ses patenôtres, le nez dans un missel de cuir aux signets de satin. Nous occupons le premier banc, à la hauteur de trois messieurs qui trônent dans le banc d'œuvre. L'encens exhale sous la voûte, son parfum d'aromates. Je suis en paix avec le monde et avec moi-même. Ce prochain que je supporterai vaille que vaille, sitôt l'office terminé, je l'aime à en pleurer de tendresse. Oncle Henri, Colette, maman, les Beauchemin se côtoient dans mes intentions, et, sans doute, je prie pour Natalie au moment même où elle me rend la pareille.

De mon fauteuil, j'observe les évolutions du célébrant et des enfants de chœur. L'un d'eux, très jeune, souliers neufs, cheveux taillés de frais, semble souvent indécis et questionne l'acolyte d'un battement de paupières. Je conclus qu'il sert sa première grand-messe et je m'attache à ses gestes comme s'il était de ma famille.

Au *Sanctus*, défilé processionnel de soutanes rouges, thuriféraires, grands cierges allumés. Le coup de théâtre se produit au *Lavabo*. En prenant les burettes, le petit fait demi-tour trop brusquement près du cierge appuyé à la crédence. Un pan de son surplis vole sur la flamme.

Je retiens un cri. Le feu lèche déjà la dentelle ; il environne l'enfant. Les fidèles, figés de surprise, regardent, bouche bée.

Que fait Natalie ? Elle court vers l'autel en retirant sa pelisse de castor et la jette sur la torche vivante qui hurle d'effroi. A peine l'a-t-on vue filer qu'elle presse le petit bonhomme contre elle. Sa jolie robe de laine prend feu. Un troisième personnage surgit de l'abside à point nommé : le bedeau, chargé d'un extincteur chimique dont il lance le jet sur les deux formes enlacées.

Les assistants, debout, commentent l'événement.

— Y a-t-il un médecin dans l'église ? demande le prêtre.

— Oui, je viens, crie une voix forte au fond de la nef.

Philippe Grégoire s'avance : il traverse le chœur et disparaît dans la sacristie où l'on a amené les deux rescapés. Je m'y rends à sa suite avec les effets de Natalie. La messe continue, immuable dans son rite, malgré l'interruption.

Dans la sacristie, on s'agite à qui mieux mieux. Au centre du tumulte, Philippe tente de ranimer l'héroïne évanouie. Il l'a étendue sur le terrazzo ; mais, privé de sa trousse et de ses médicaments, il n'arrive pas à provoquer la réaction nécessaire.

Quand il m'aperçoit, il lève une figure angoissée.

— Elle ne semble pas revenir à elle.

Il appelle le sacristain.

— Il me faut du cognac, ou de l'éther.

— J'ai de l'éther, dit l'autre. Je vous l'apporte.

— Est-elle grièvement brûlée ?

Je parcours des yeux le visage si blanc sous sa torsade de lin roussi.

— Je ne crois pas. Mais cet évanouissement prolongé me préoccupe.

Un autre médecin pénètre dans le décor d'opérette où des pantins désarticulés virevoltent autour des protagonistes.

— Occupez-vous de l'enfant, docteur, commande Philippe. Je verrai à la jeune fille.

— Une fille courageuse, dit le médecin en examinant la forme inerte dont la tête rejetée en arrière révèle une ligne de cou parfaite. Vous la connaissez ?

— C'est ma cousine.

— Philippe,... gémit une voix faible.

Natalie ouvre les yeux. Philippe enlace ses épaules et murmure :

— Ma chérie, ma chérie...

Et elle ne sait dire que... « Philippe, Philippe, Philippe »...

— Natalie, je t'aime. Est-ce assez idiot ! Je viens seulement de m'en rendre compte.

— Moi, je le sais depuis toujours, Philippe.

Je regarde le beau manteau dévoré par le feu et qui ne parera plus ma petite amie. Je me dis que j'aurais bien payé ce prix-là, moi aussi, pour connaître un bonheur semblable au sien.

15

Noël approche. Chacun s'en réjouit, sauf maman, trop affairée pour s'émouvoir des conditions atmosphériques et des célébrations. Elle ne prend même plus le temps de causer ; à peine si j'ai pu lui conter l'héroïsme de Natalie et ses fiançailles au docteur Grégoire. Sa figure lasse a reflété des sentiments ambivalents : joie que Rosanne ne s'engage pas, trop jeunette, dans l'aventure du mariage ; déception qu'elle ne puisse, grâce à Philippe, guérir d'Yves.

Un après-midi, en rentrant du cours, je la trouve effondrée sur sa table de travail, pleurant toutes les larmes de son corps. La dernière création, un deux-pièces de brocart, gît à terre, comme il a glissé, en petit tas luisant et luxueux.

— Maman, tu pleures ! dis-je en caressant les cheveux gris.

Elle tente de donner le change. Mais ses sanglots, plus quinteux d'avoir été endigués, remplissent la pièce.

— Je n'en peux plus, Rosanne.

Pourtant, le matin, elle nous a salués d'un brave sourire, les garçons et moi. Quelque chose a déclenché la crise. Je vois, dans sa main, une lettre. La cause. Mais la cause seulement. A quoi bon me leurrer ? Ma mère souffre d'épuisement. Cette crise marque le début d'une dépression nerveuse, je le sais. Mon insouciance s'éboule, à côté du brocart. J'ordonne, renversant les rôles :

— Montre.

Et je prends la lettre. Maman lève son visage défait et sourit à travers ses larmes.

— N'impute pas mon trouble à ce message. Il est anodin. Ton oncle Henri et ta tante passeront l'hiver à Montréal. Marilou veut être infirmière, comme Colette ; elle s'inscrira en janvier. Henriette poursuivra des études de violon au conservatoire.

— Ils habiteront ici ?

— Pour un temps seulement. Ils veulent louer un pied-à-terre dans les environs.

— Je ne comprends pas, maman. Tu te plais en leur compagnie. Si leur visite n'ajoute rien à ta besogne, pourquoi te tracasser ? Il y a autre chose, hein ?

— Oui.

Calmée, elle lisse ses cheveux et ramasse le deux-pièces en se gourmandant de sa négligence.

— Cette autre chose devrait normalement me réjouir. Ton frère manifeste, paraît-il, des dons exceptionnels. Son professeur m'informe qu'il tente une démarche pour lui, à tout hasard, au collège Sainte-Marie.

— Fabien au cours classique ?

— Il en rêve, ce petit.

— Il n'en a jamais parlé.

— A cause de notre situation. Sur demande, il obtiendra une bourse... minime, mais assurée. Et s'il trime dur, il passera, cette année, à travers les éléments et la syntaxe.

Je demande posément :

— Que faisons-nous ?

— Que veux-tu que nous fassions ? J'accumule les dettes depuis ton opération. Comment nous en tirer, avec ma santé chancelante et mon rendement diminué ?

— Je vais travailler.

Elle proteste aussitôt.

— Je ne veux pas. Te sacrifier à ton frère ? Non. Tu n'as pas dix-sept ans. Tu n'es pas prête.

— Je me débrouillerai.

— Toi, si timide, travailler au dehors ?

— Ne t'inquiète pas. Le deux-pièces, tu l'as terminé ?

— Oui, Dieu merci.

— N'accepte plus rien cet hiver. La petite assurance de papa paie le loyer. J'apporterai la nourriture.

Maman s'objecte toujours.

126

— Tu manques d'expérience.

— Qu'importe : ça s'acquiert. La vie m'attend. Ne me retiens plus.

Nous sentons bien, toutes deux, que c'est la fin de mon adolescence, et la page tournée sur la fille sentimentale, chevillée à son mur comme un sarment de vigne. J'ai fini de chercher ma satisfaction égoïste et d'illusoires amours ; j'accepte ma responsabilité au sein de l'ordre social.

Natalie fait grand cas de ma décision et se dépense pour m'aider.

— Je demanderai à papa qu'il t'embauche... ou à ses amis. Pour toi, je dénicherai une situation dorée sur tranche dans un bureau de tout repos.

— Où tu voudras, dis-je, philosophe, pourvu que ce ne soit pas dans le cabinet d'un médecin. J'en ai soupé de ces messieurs. Mon Capricorne rebute leurs béliers, leurs Taureaux et leurs Lions. Que mon amour-propre en souffre, c'est inévitable, mais je découvre que j'existe indépendamment des hommes, et ça m'enchante. Qui sait, j'achève peut-être de miser uniquement sur le mariage.

— Je sens de l'amertume dans ta voix, constate ma camarade, pas dupe de l'esbroufe. Tu ne plonges pas dans la mêlée de gaieté de cœur, toi.

J'avoue.

— J'ai une peur bleue de l'avenir, Natalie. Rien qu'à penser aux démarches préliminaires, je voudrais être morte.

Colette aussi manifeste une sympathie inquiète. J'hésite à dévoiler devant elle, si vaillante, mon appréhension des lendemains. Sa réponse m'insuffle un élan de confiance.

— Tu t'apercevras, un beau matin, que tu es un individu autonome, muni d'un gouvernail de direction. Les adultes, tu seras de leur race ; ils te décevront, et tu voudras les dépasser... mais gare aux traumastismes.

Elle rit.

— Depuis que je côtoie les hommes, je les juge ; ça ne m'empêche pas de chercher encore l'âme sœur sous leurs nœuds papillon. Mais je suis plus exigeante qu'autrefois, je te jure.

Quand Fabien nous apprend qu'on l'accepte au collège, je vais avertir sœur Marcelle de mon départ.

Elle m'observe de ses yeux bleu de Delft, silencieuse, désolée que je parte, presque tendre.

— Ainsi, Rosanne, vous avez trouvé, seule, votre chemin.

— L'enfance de l'art, ma sœur. J'ai toujours su que je m'y engagerais un jour ou l'autre. Ne me félicitez pas ; il s'offrait trop tôt à mon gré, et j'ai failli l'ignorer volontairement.

— Rien de grand n'est facile, répond-elle, comme si elle retrouvait dans son propre passé une décision arrachée à la sève de l'être.

Je me rappelle ma première visite à l'institut, alors que la vocation particulière de cette femme m'a étonnée.

— Sœur Marcelle, pourquoi êtes-vous entrée au couvent ? Par esprit de sacrifice ? Peur du monde ?

Une lueur espiègle brille dans ses yeux.

— Par flair. J'aime Notre Seigneur. Je ne voyais pas de parti plus avantageux sur la terre. J'ai choisi de l'attendre.

Elle me montre son alliance.

— Je suis la bru de Dieu, dit-elle avec dignité.

— Vous êtes heureuse, vraiment ?

Elle se fâche presque.

— Les gens du monde semblent considérer les religieuses comme des toquées qui dissimulent sous la cornette une faillite sociale inavouée. Eh bien ! ils se trompent, les gros malins.

Je me penche et l'embrasse sur la joue.

— Joyeux Noël, ma sœur.

Elle appuie sa paume sous mon menton qu'elle relève.

— Bonne et heureuse vie, Rosanne.

Mes bottes creusent la neige neuve. Je m'attarde, flânant et musardant le long du parc Laurier. J'arrive à la maison en même temps qu'un taxi.

Oncle Henri, tante Adèle, Marilou et Henriette en sortent, les mains libres de colis, les figures épanouies de sourires.

— Nous venons passer la Noël avec vous, déclare oncle Henri, tout gaillard de la surprise qu'il va causer à maman.

Il me souffle à l'oreille, en douce :

128

— Je te cède un vieux chèque rabougri pour assouvir ton chirurgien.

— Quoi ! dis-je, en regardant partout,... pas le moindre petit morceau de bagage ou de porte-manteau ?

Il rit.

— Pas le moindre.

Une autre voiture approche. Mon oncle fait signe au chauffeur de se ranger le long du trottoir. Elle est remplie jusqu'au plafond de malles et de caisses à n'en plus finir.

— Tu comprends, explique l'oncle, nous ne déferlons pas chez vous sans quelques présents... diplomatiques. Astuce et discrétion.

Et de monter notre escalier quatre à quatre, malgré la neige, en criant :

— Laurence ! Où se cache-t-elle, cette femme, qu'elle n'accueille pas les têtes couronnées de France, d'Angleterre et de Russie sur son balcon ?

Il disparaît dans le corridor, et je sais que sa présence sera la meilleure thérapeutique pour maman et que je pourrai voler de mes propres ailes, toute seule, dans le grand Montréal qui m'appelle.

lexique

A l'amiable : expression signifiant : de gré à gré.

Alpha-oméga : première et dernière lettres de l'alphabet grec.

Ambroisie : substance délicieuse dont se nourrissaient les dieux de l'Olympe.

Apothéose : honneurs extraordinaires rendus à quelqu'un.

Asmodée : héros du **Diable boiteux** qui a le pouvoir d'enlever le toit des maisons et de découvrir les secrets des habitants.

Bailler belle (la) : chercher à en faire accroire.

Battre la breloque : d'une façon incohérente et saccadée.

Bergère : large fauteuil avec coussins.

Bleu de Delft : d'un bleu pareil à celui des porcelaines faites à Delft, en Hollande.

Bouc émissaire : personne sur laquelle on fait retomber toutes les fautes (comme faisaient les juifs avec les boucs qu'ils lançaient dans le désert).

Bourg : gros village.

Brandillement : balancement.

Brûlés (les) : portion de forêt incendiée.

Caravansérail : en Orient, hôtellerie pour les caravanes.

Catgut : fil composé de fibres animales et servant en chirurgie pour les sutures.

Chaperonnage : accompagner, surveiller une personne jeune.

Dépenaillé : mal vêtu, en lambeaux.

Diagramme : figure géométrique propre à faciliter la démonstration.

Diaphragme : muscle très large et fort mince qui sépare la poitrine de l'abdomen.

Discobole : statue du sculpteur grec Myron, d'un athlète lançant le disque.

Discrimination : le fait de séparer un groupe social des autres en le traitant plus mal.

Drave (la) : flottage, transport du bois par eau.

Dualité : caractère de ce qui est double en soi.

Ecchymose : épanchement formé par l'infiltration du sang dans l'épaisseur de la peau.

Effervescence : ardeur.

Ego : autre nom du moi.

Encaustique : préparation de cire et d'essence de térébenthine pour faire briller les meubles.

Esculape : nom que l'on donne quelquefois aux médecins.

Esquiver : éviter adroitement.

Etayer : appuyer.

Excoriation : légère écorchure qui n'attaque que l'épiderme.

Faille : fente, crevasse.

Fontaine de jouvence : dont les eaux donnent la jeunesse.

Fortuit : imprévu.

Galvaniser : rendre l'énergie.

Goguenard : railleur.

Gratin (le) : l'élite.

Grigou : homme d'une avarice sordide.

Guimbarde brinquebalante : vieille voiture branlante.

Hilarité : joie, gaîté subite.

Lipome : tumeur provenant d'une hypertrophie locale du tissu graisseux.

Madras : coiffure faite d'une étoffe légère.

Mélopée : chant monotone.

Mentor : guide.

Métamorphose : changement d'une forme en une autre.

Minauderie : amabilité affectée.

Misanthropie : haine des hommes, dégoût de la société.

Mutisme : silence obstiné.

Néophyte : nouvel adepte d'une doctrine.

Occiput : le derrière de la tête.

Oratoire : lieu d'une maison destiné à la prière.

Ordonnance : prescription d'un médecin.

Outrecuidant : présomptueux.

Papoose, wigwam : termes indiens signifiant : bébé et maison.

Paradoxe : contraire à l'opinion commune.

Parasite : qui prend tout des autres sans jamais rien apporter.

Patenôtres : prières.

Polonaise : danse nationale des Polonais ; Chopin en écrivit plusieurs.

Pondération : bon équilibre et mesure dans les jugements.

Prolifération : multiplication d'une cellule.

Recluse : enfermée étroitement.

Sortir de ses gonds : entrer dans une grande colère ; être hors de soi.

Sylphide : femme gracieuse et légère.

Têtard : larve de batraciens (crapaud, grenouille).

Thuriféraire : celui qui, dans les cérémonies de l'Eglise, porte l'encens.

Traumatisme : ensemble de troubles occasionnés par une blessure.

Urticaire : éruption cutanée.

Volubilis : nom d'une fleur.

Vouer aux gémonies : livrer quelqu'un au mépris public.

Vulnérable : qui peut être blessé.

Expressions et phrases en anglais dans le texte

Three men out : Trois hommes retirés.

She's as red as a boiled lobster : Elle est rouge comme un homard cuit.

« Be sure it's true, when you say I love you, it's a sin to tell a lie » : (Ne me dis « je t'aime » que si c'est vrai. Mentir est un péché.)

table des matières

COLLECTION DU GOÉLAND

Dans ses voyages au long cours, le goéland, cet oiseau marin, survole les continents de l'Arctique à l'Antarctique. Il plane sur les côtes et les baies, les lacs et les rivières jusqu'à l'intérieur des terres.

La collection du Goéland, par la diversité de ses auteurs et de ses sujets, vous propose de le suivre dans ses merveilleux voyages au fil des mots.

Collection du Goéland